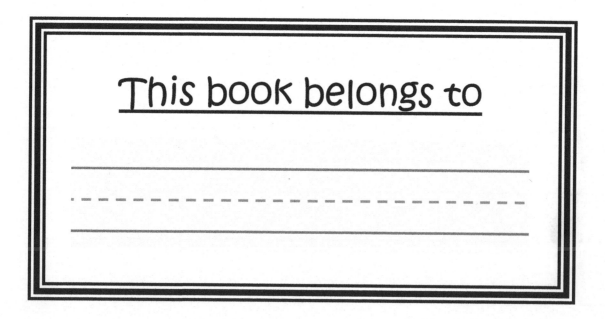

This book belongs to

ISBN: 978-1-63578-504-3

Current contact information for Libro Studio LLC can be found at www.LibroStudioLLC.com

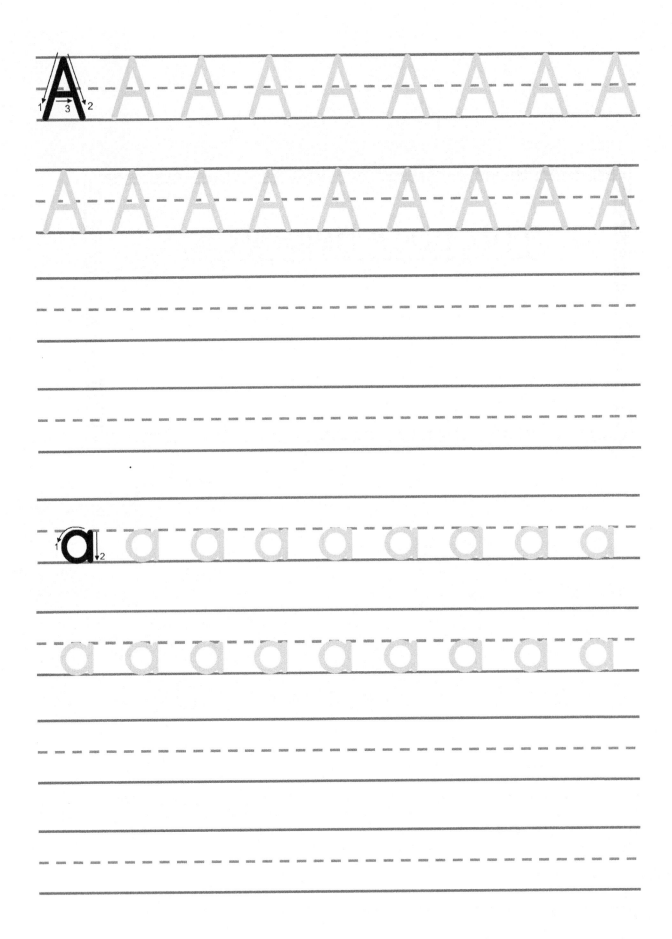

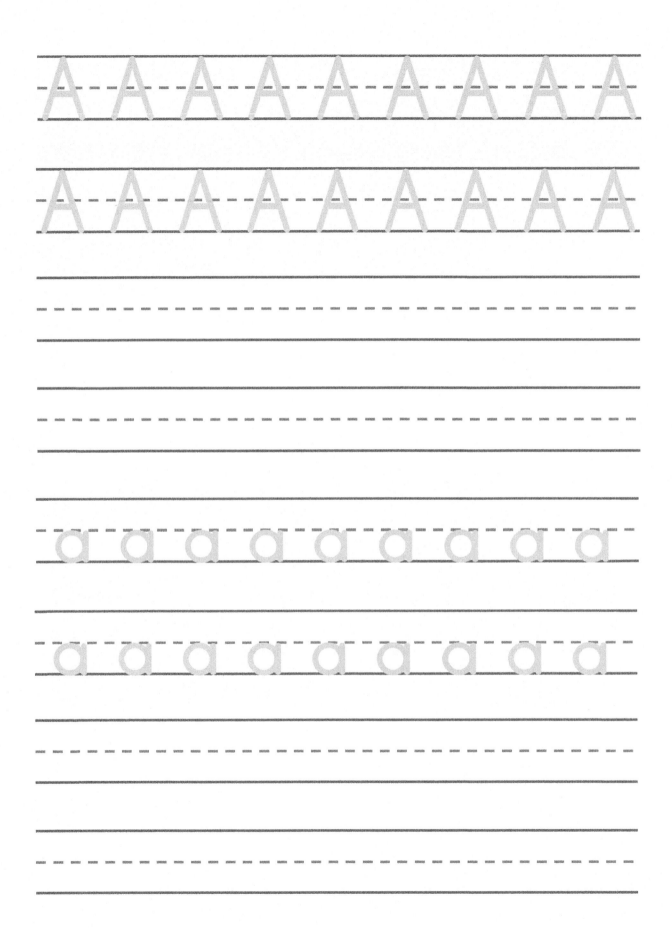

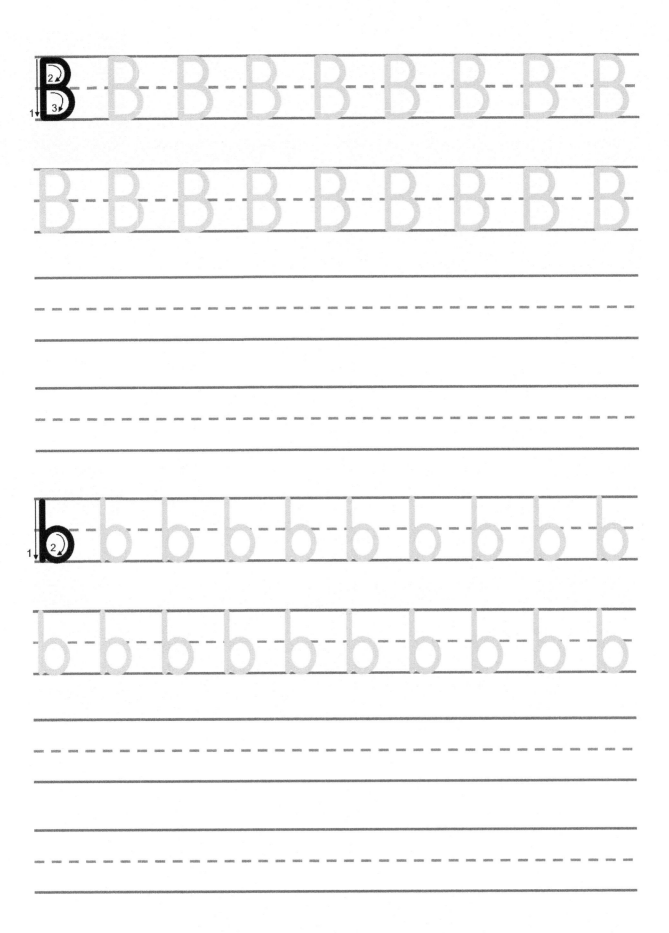

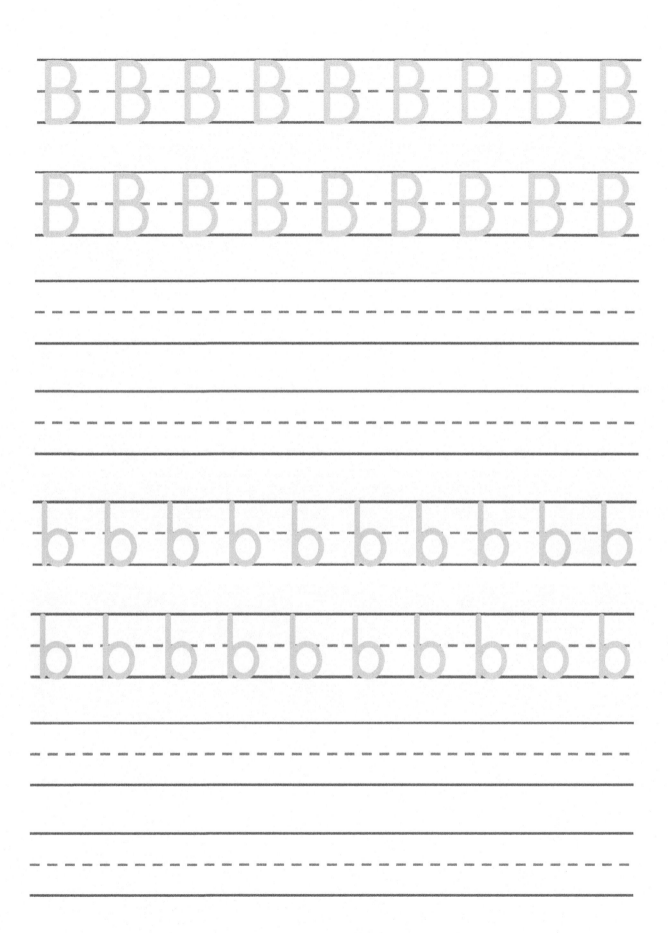

B B B B B B B B B

B B B B B B B B B

b b b b b b b b b b

b b b b b b b b b b

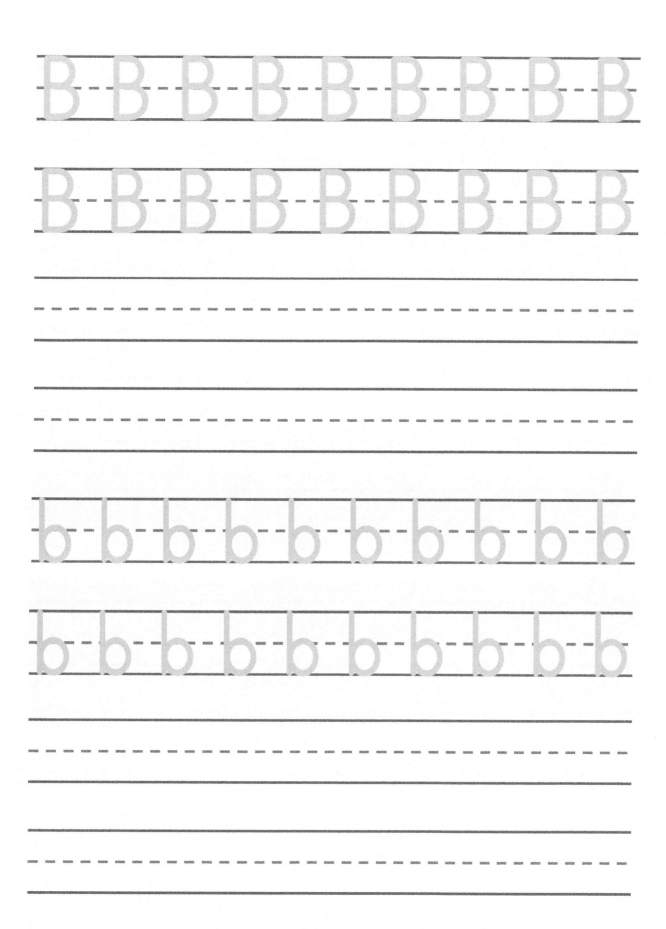

B B B B B B B B B

B B B B B B B B B

b b b b b b b b b b

b b b b b b b b b b

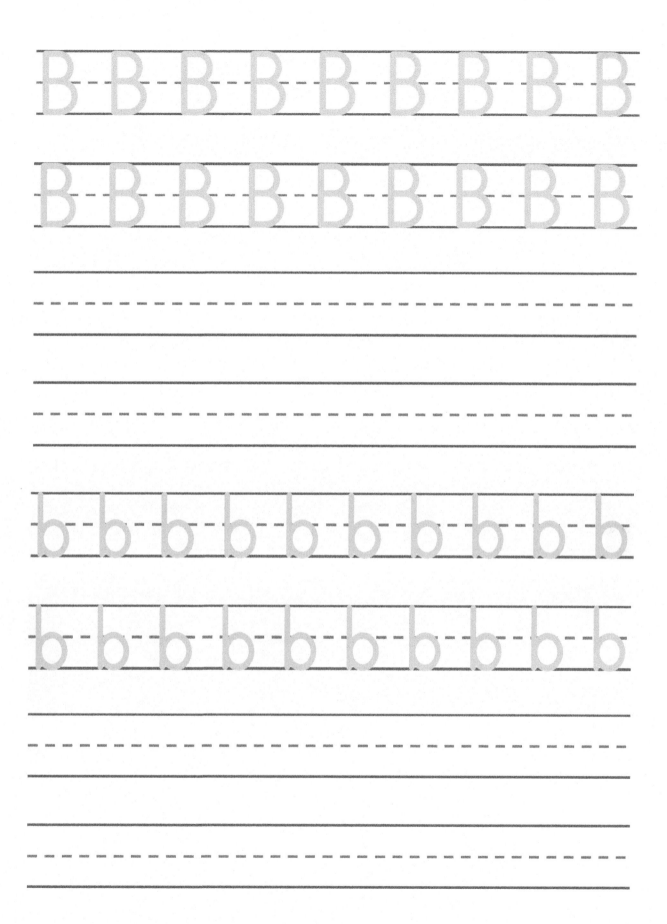

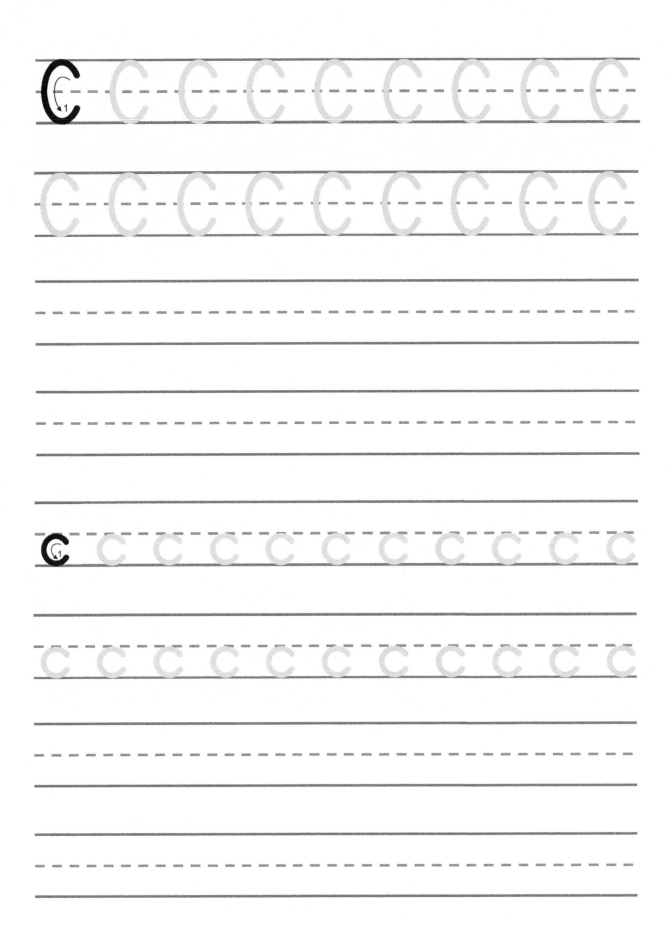

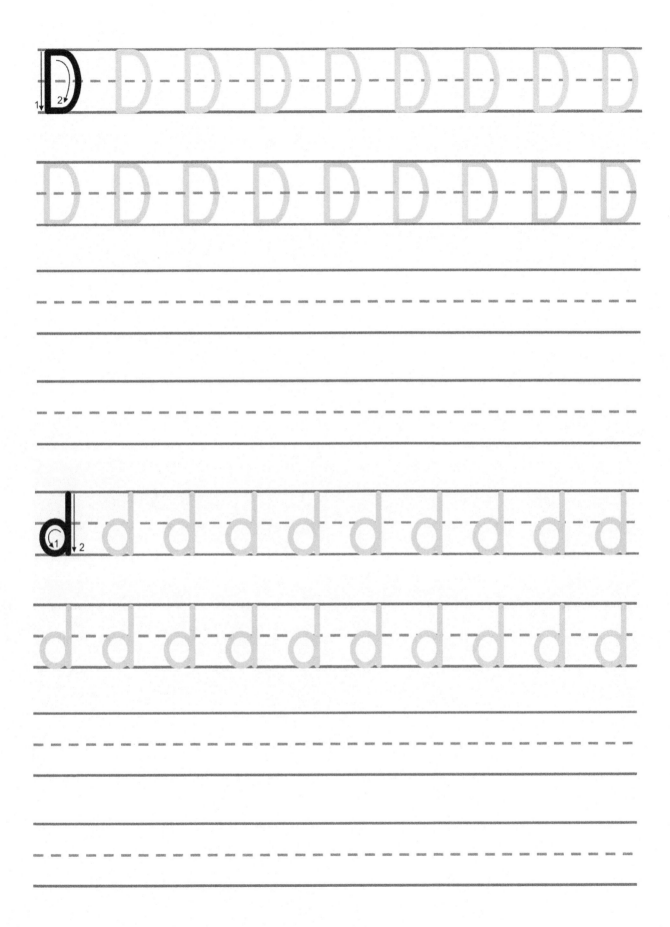

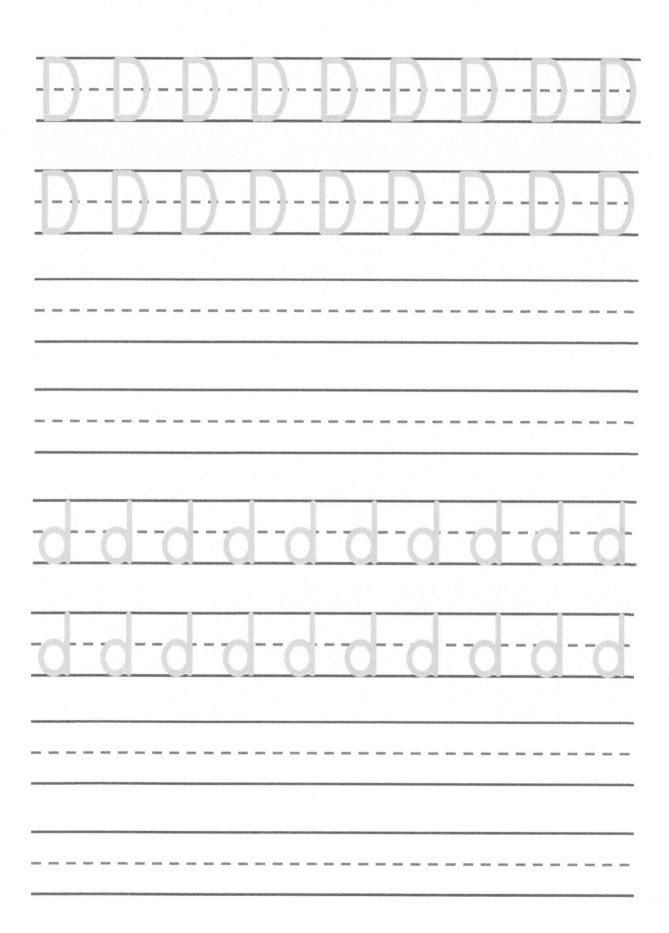

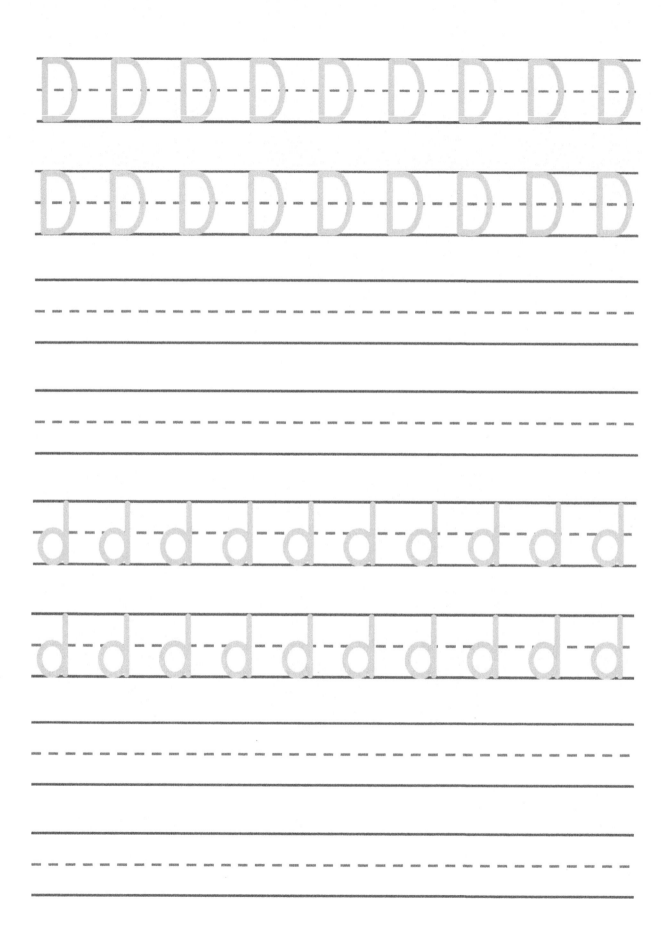

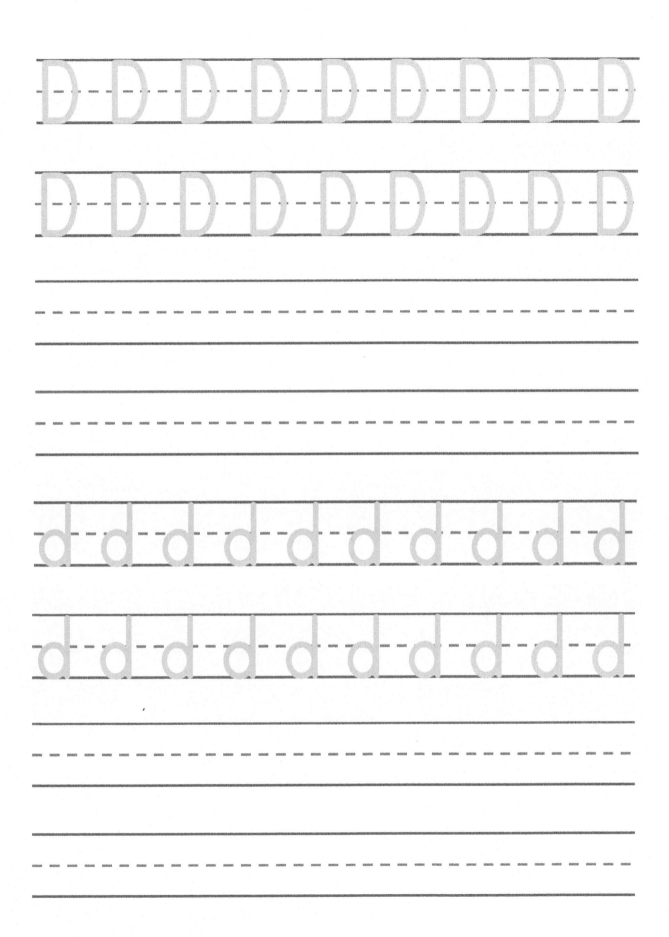

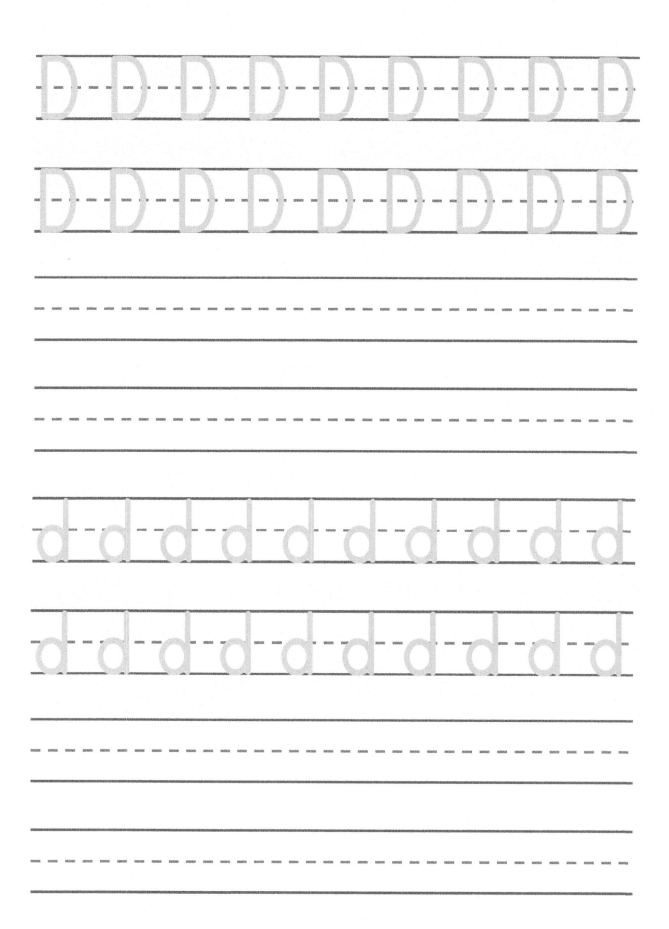

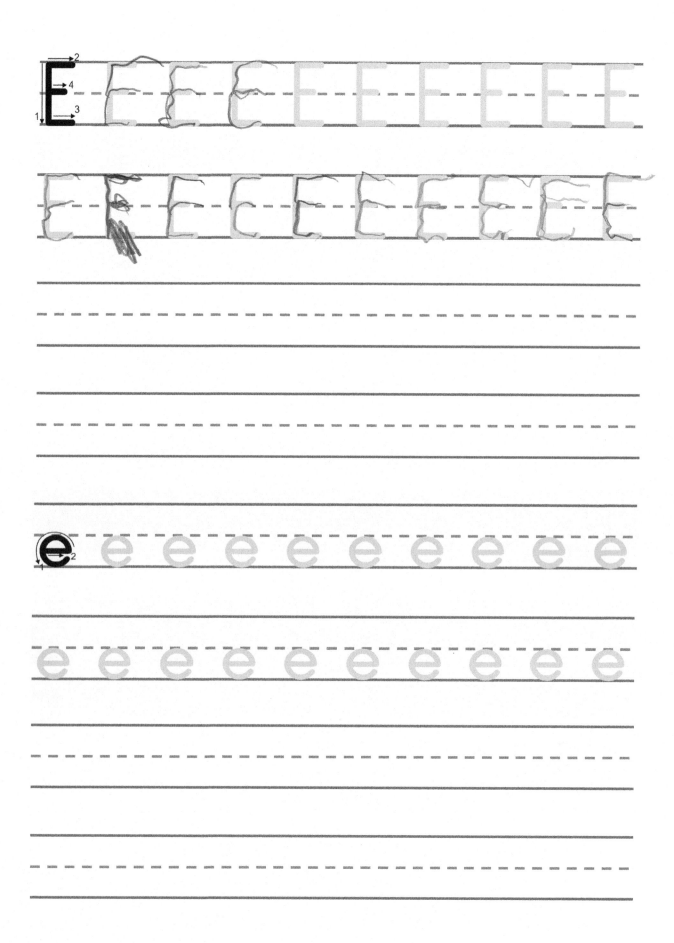

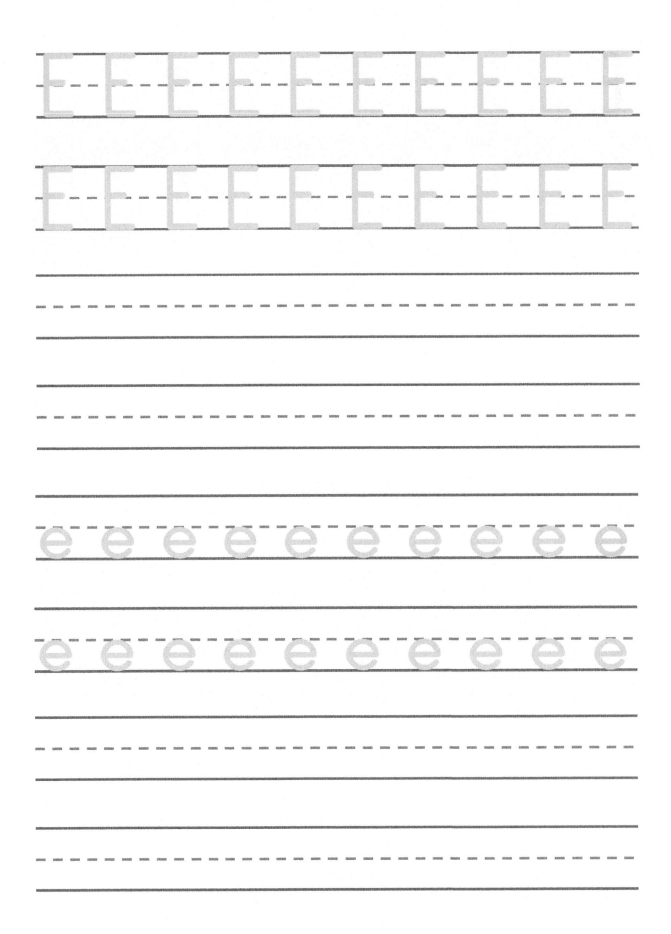

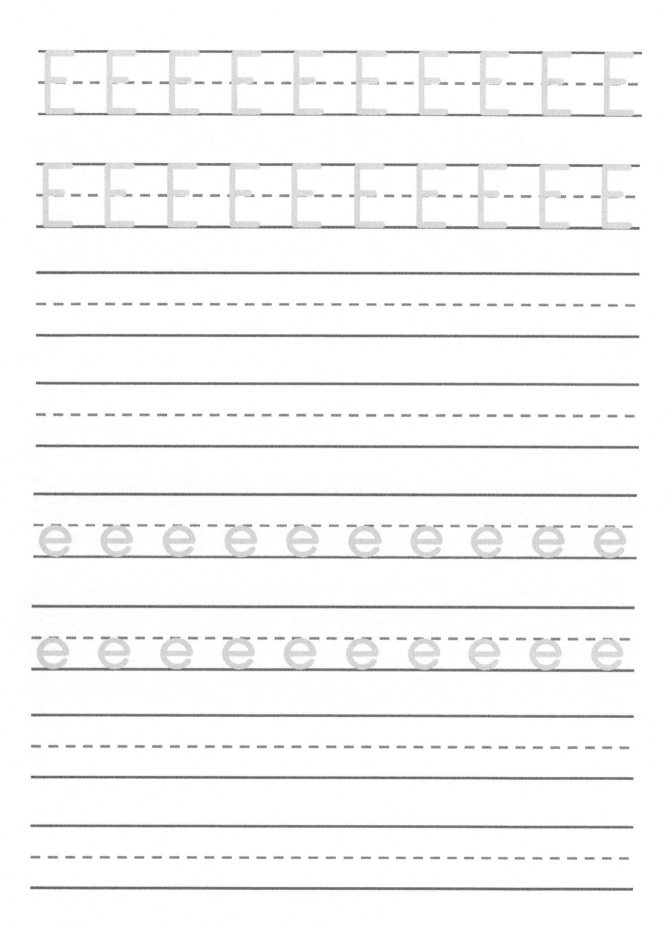

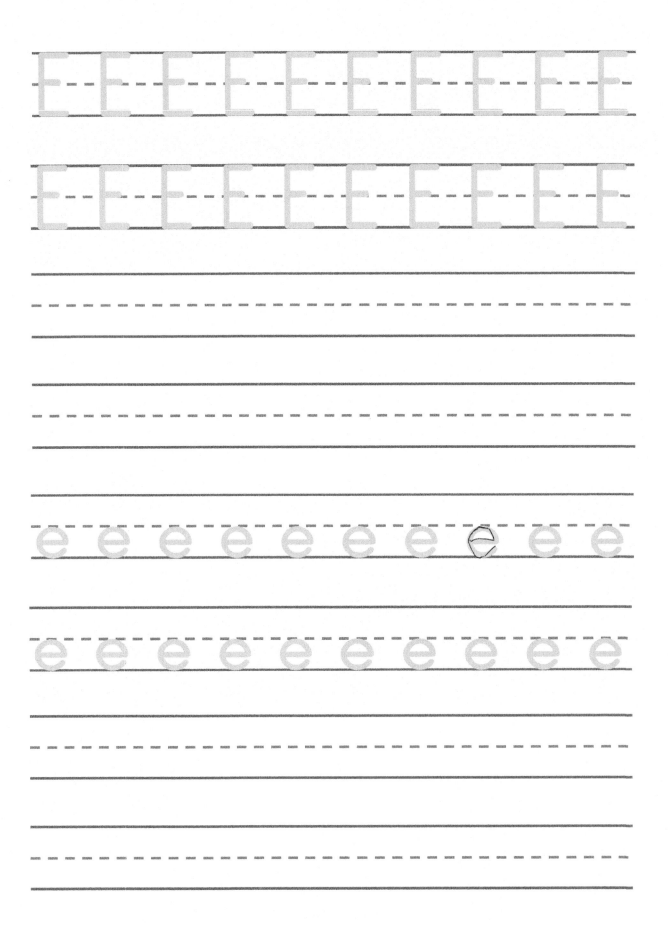

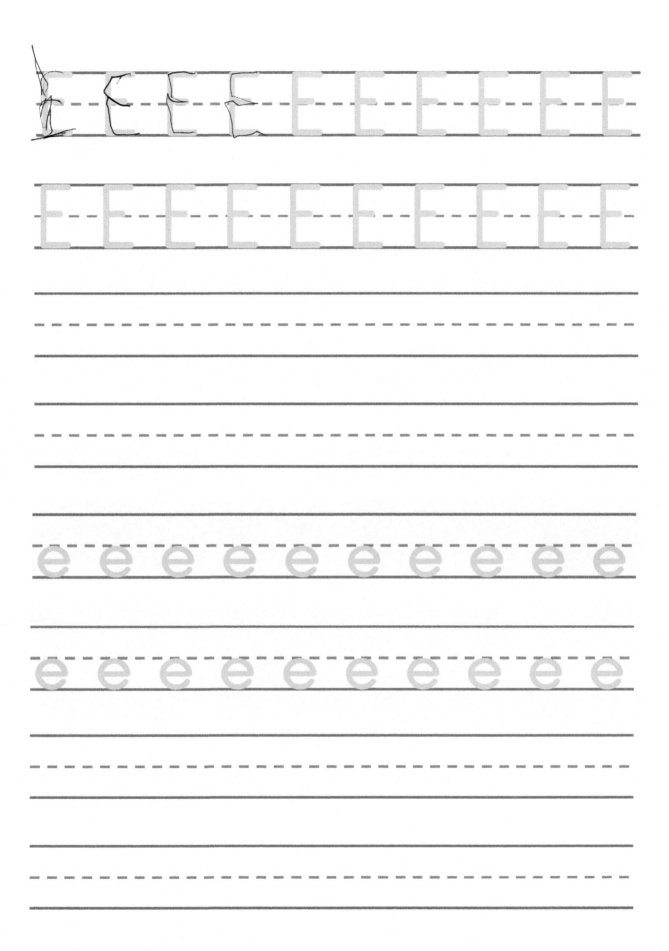

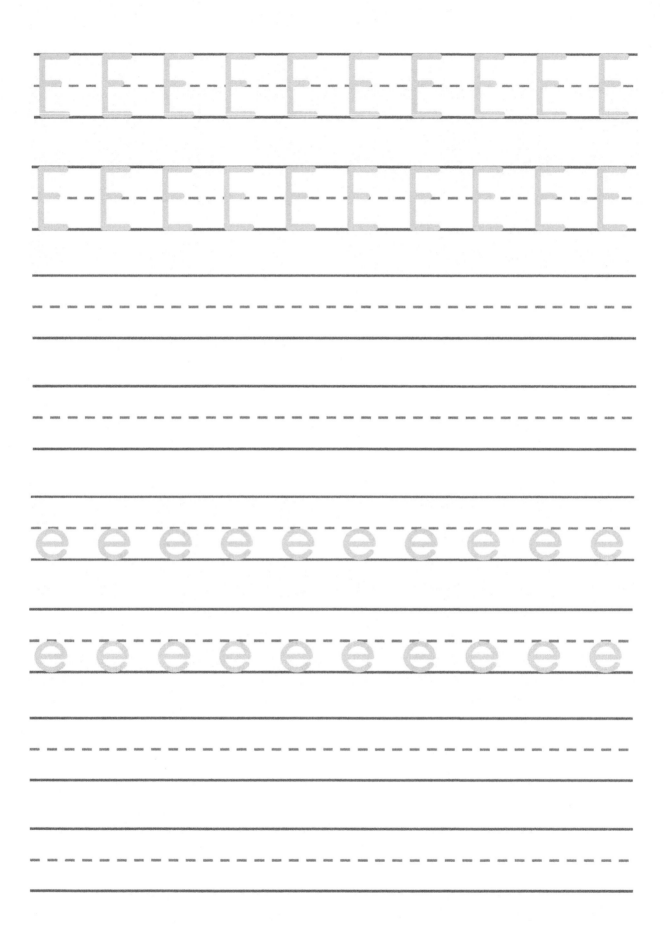

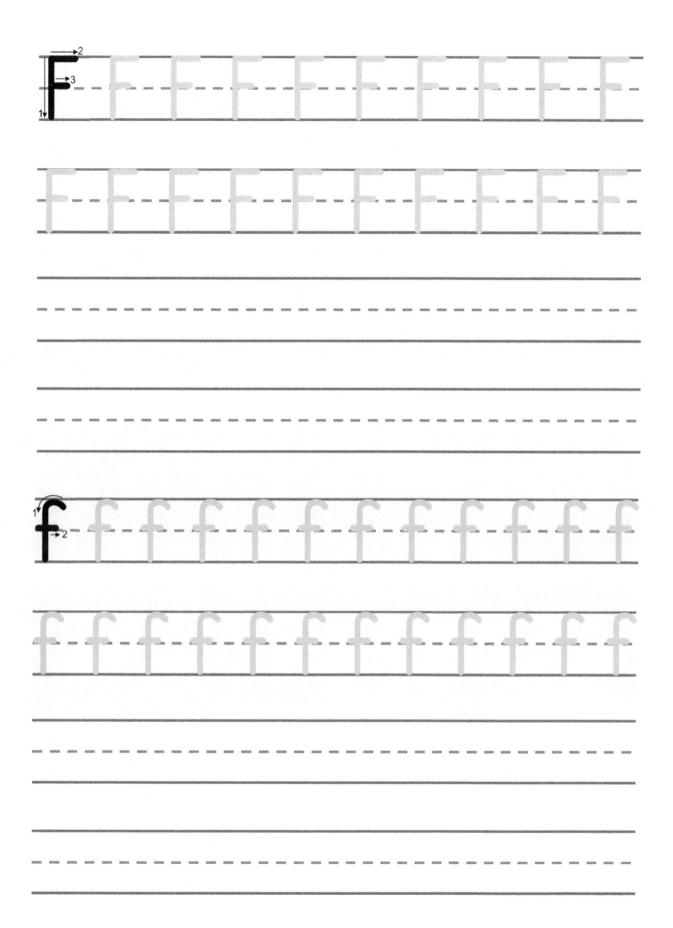

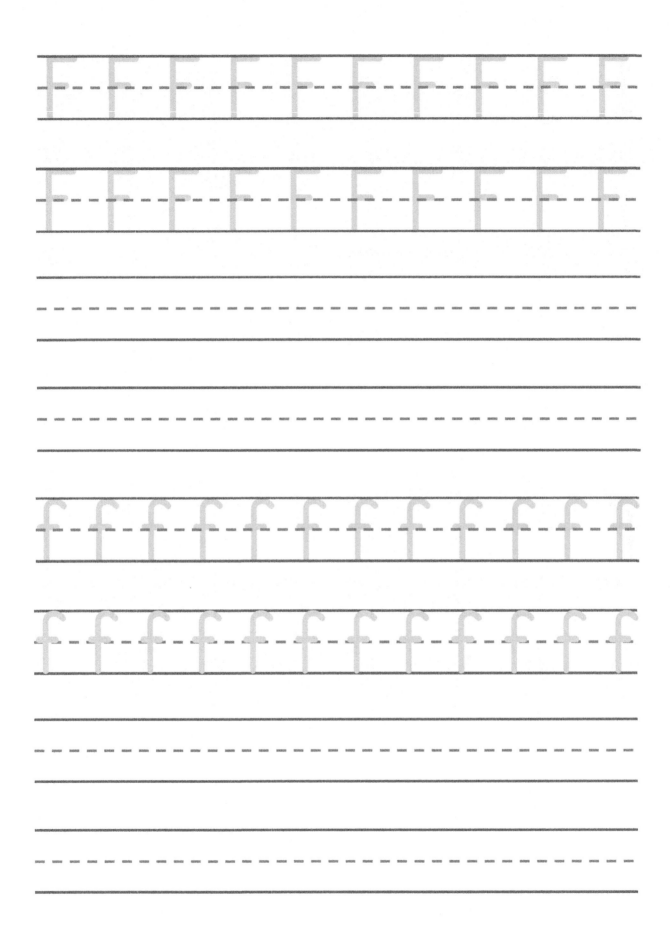

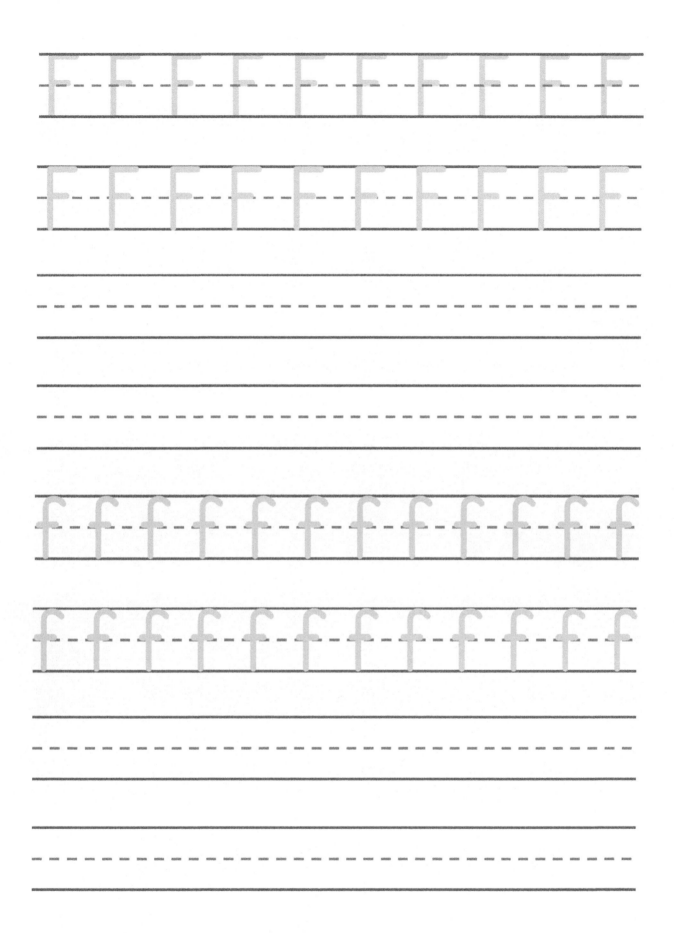

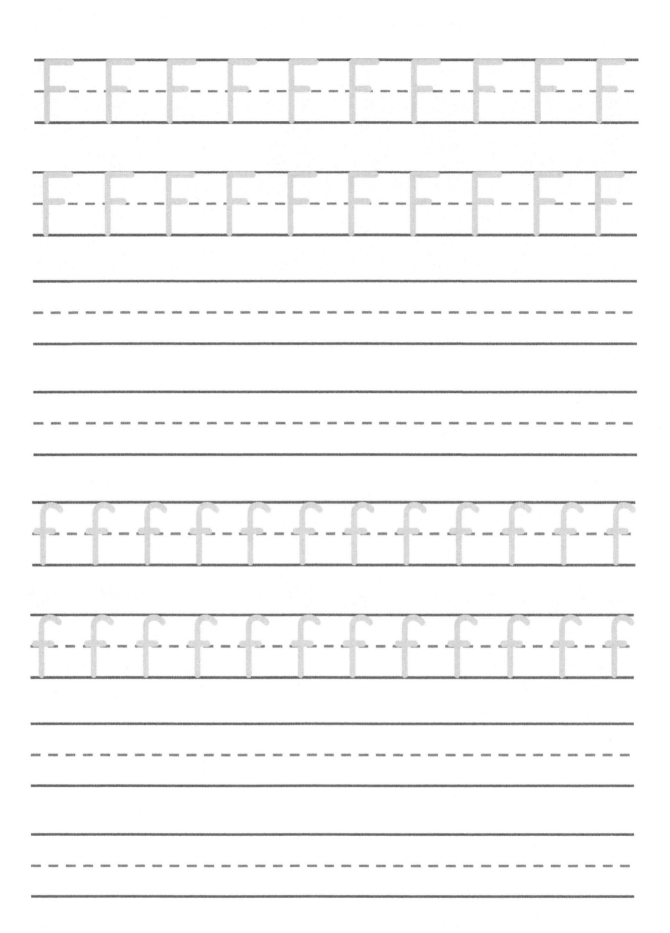

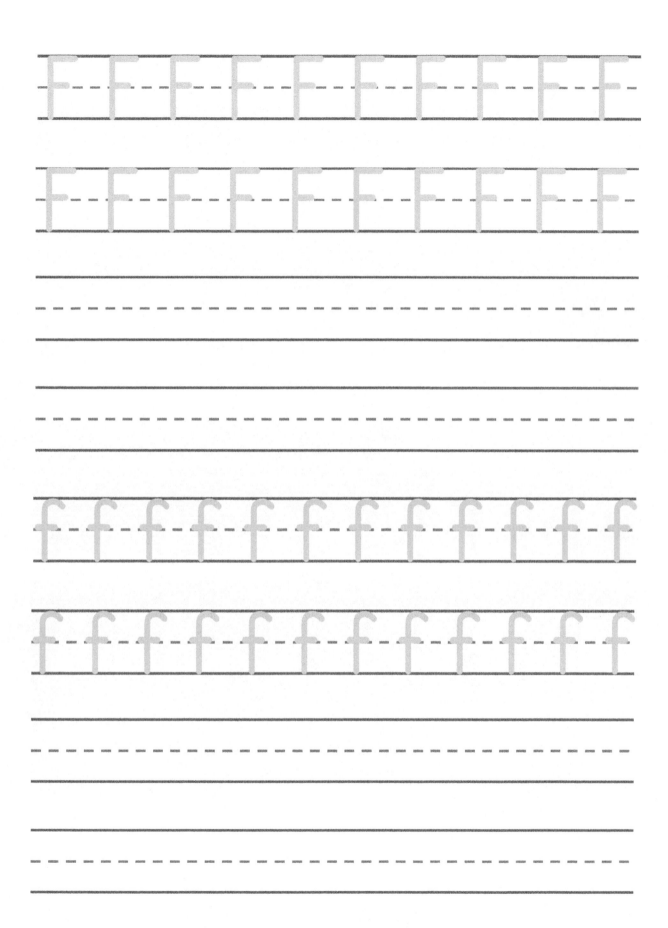

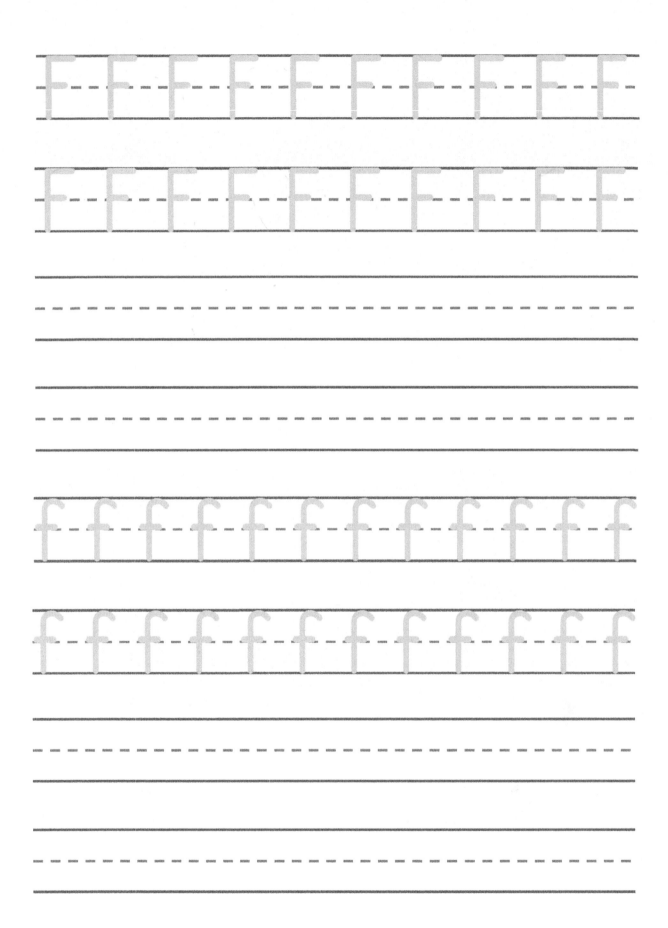

G G G G G G G G G

G G G G G G G G G

g g g g g g g g g

g g g g g g g g g

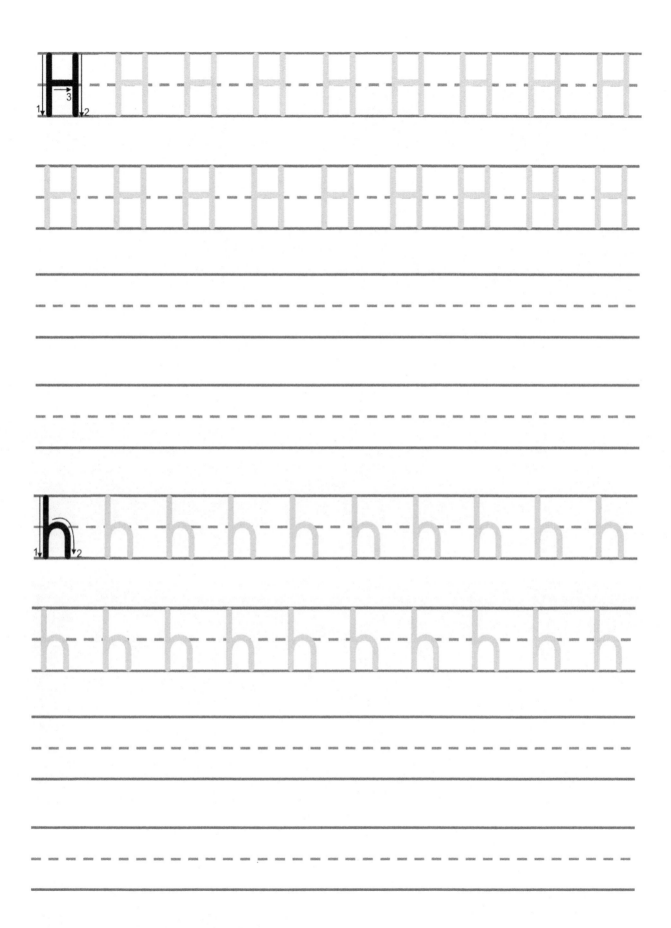

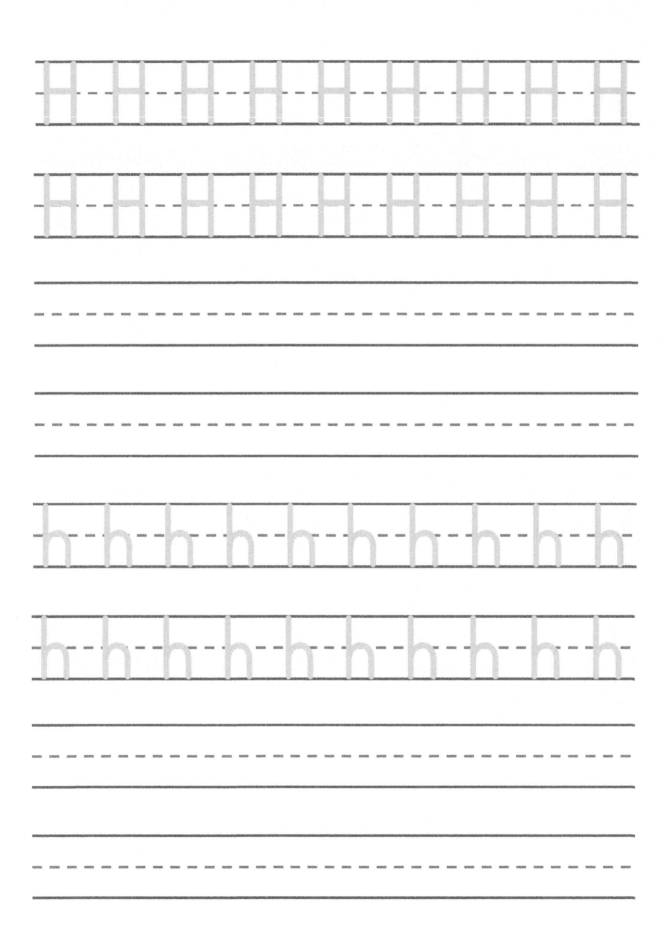

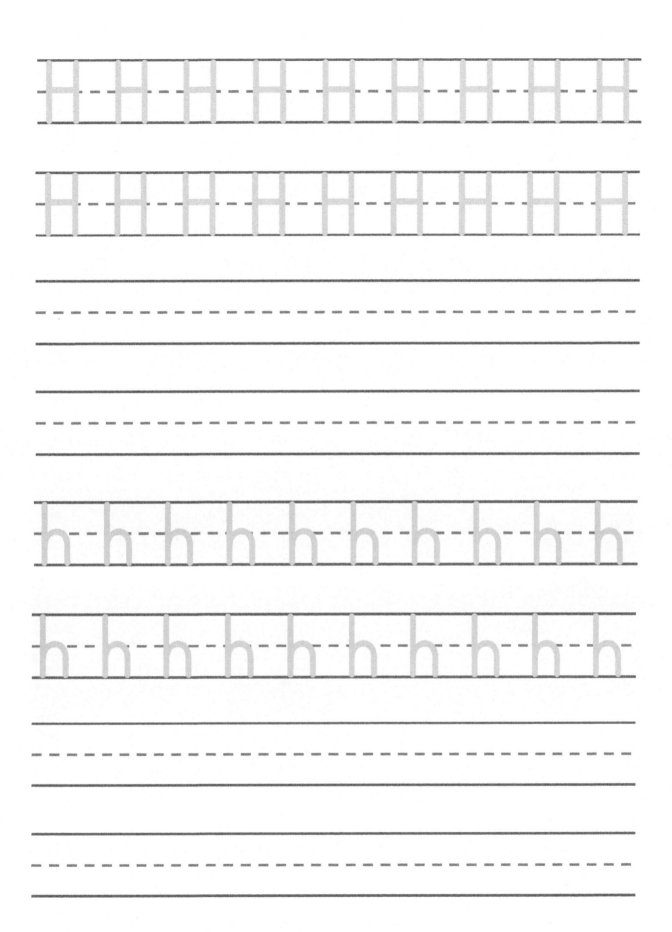

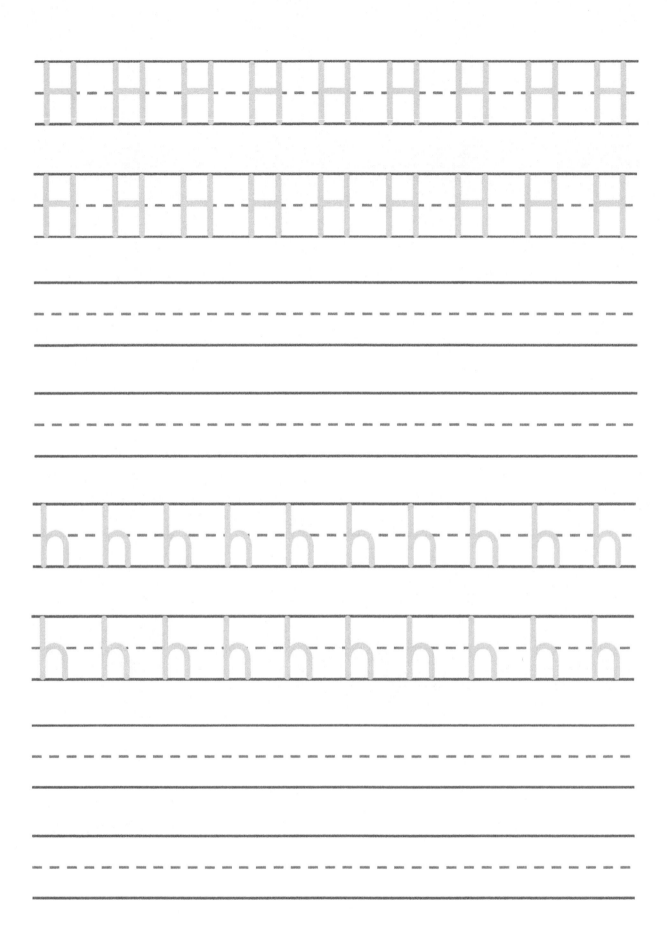

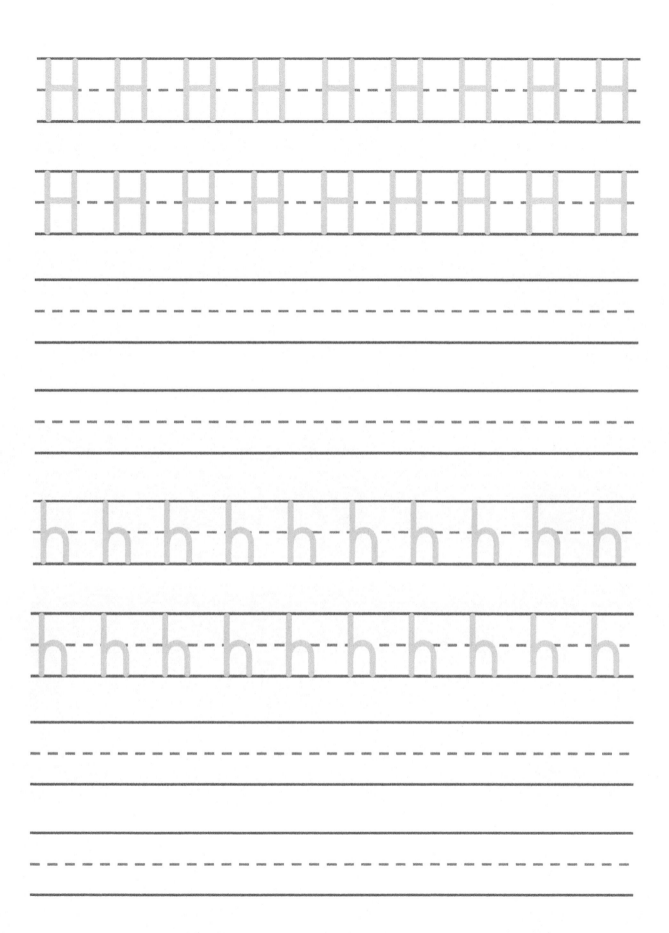

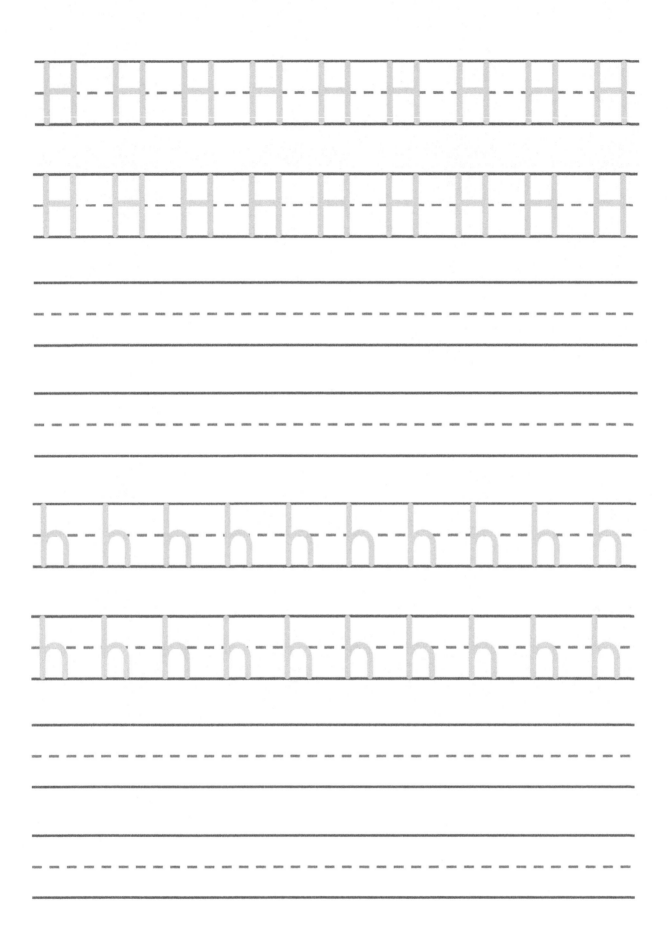

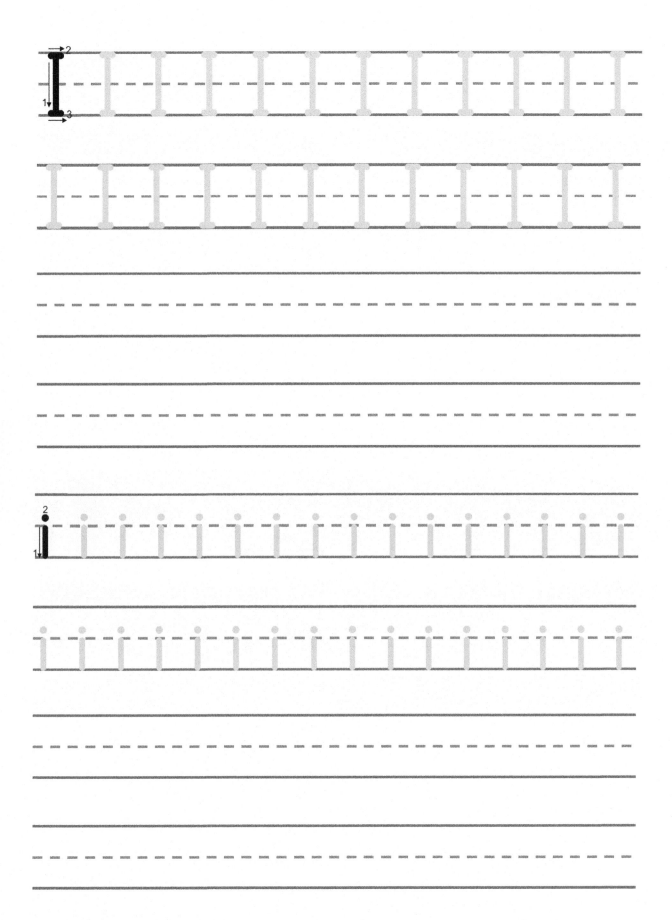

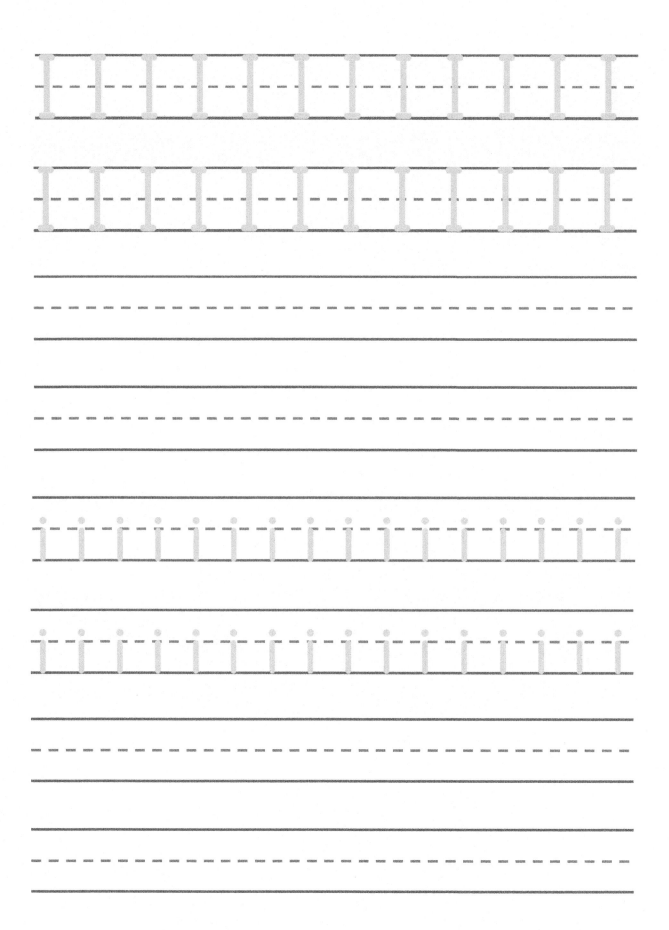

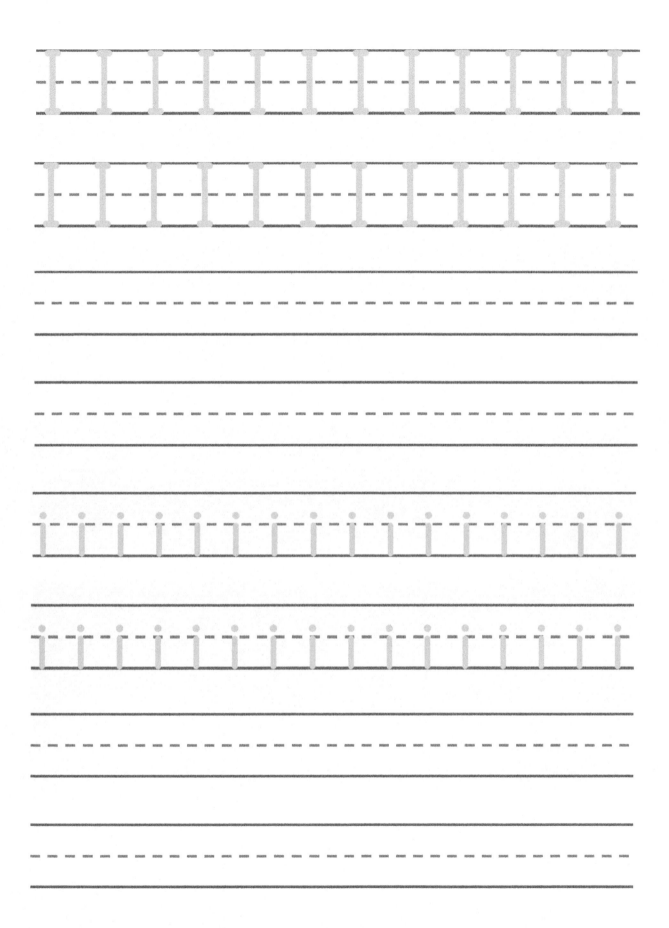

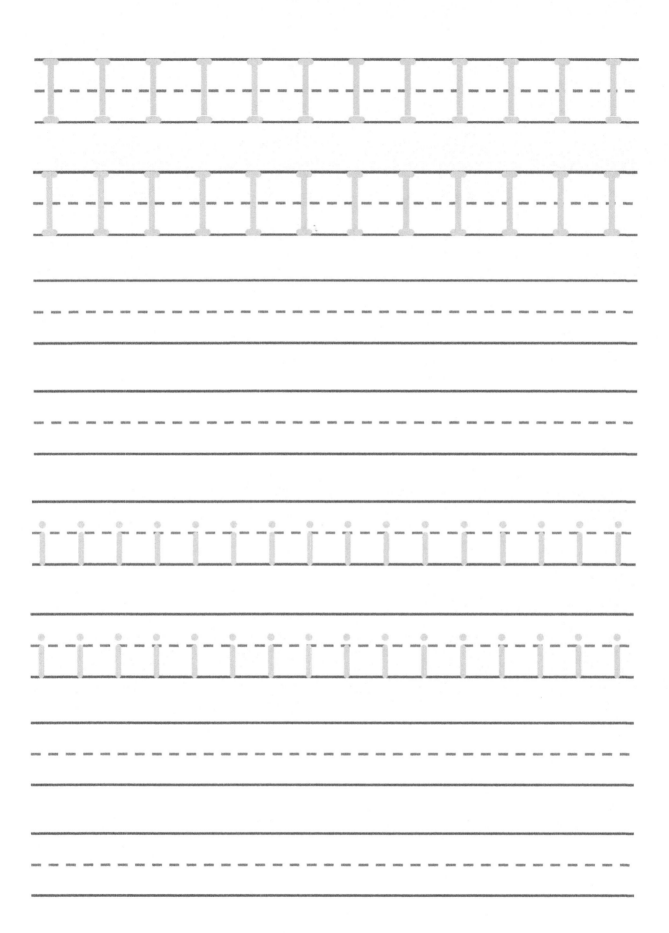

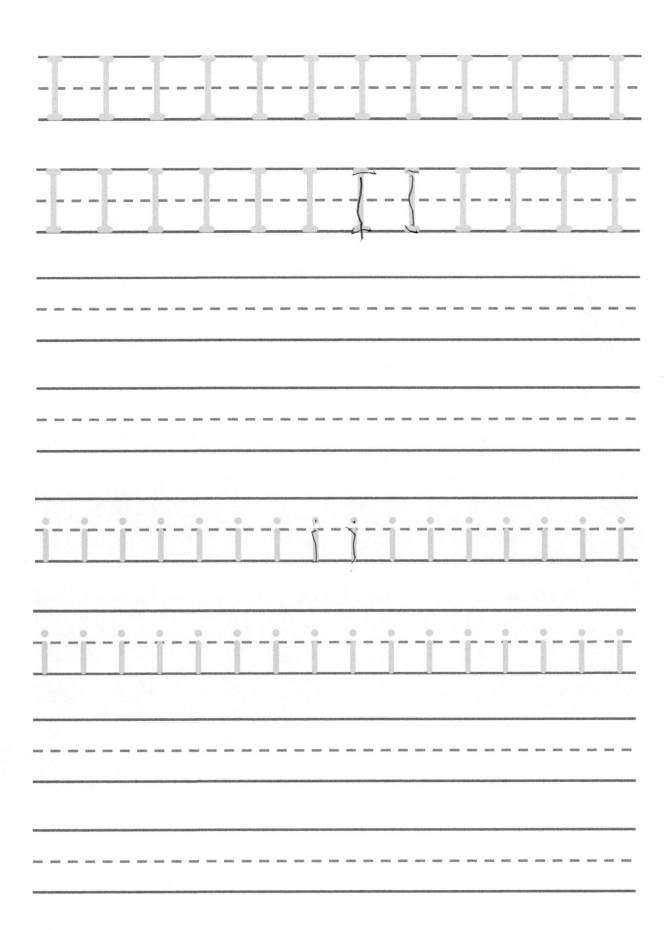

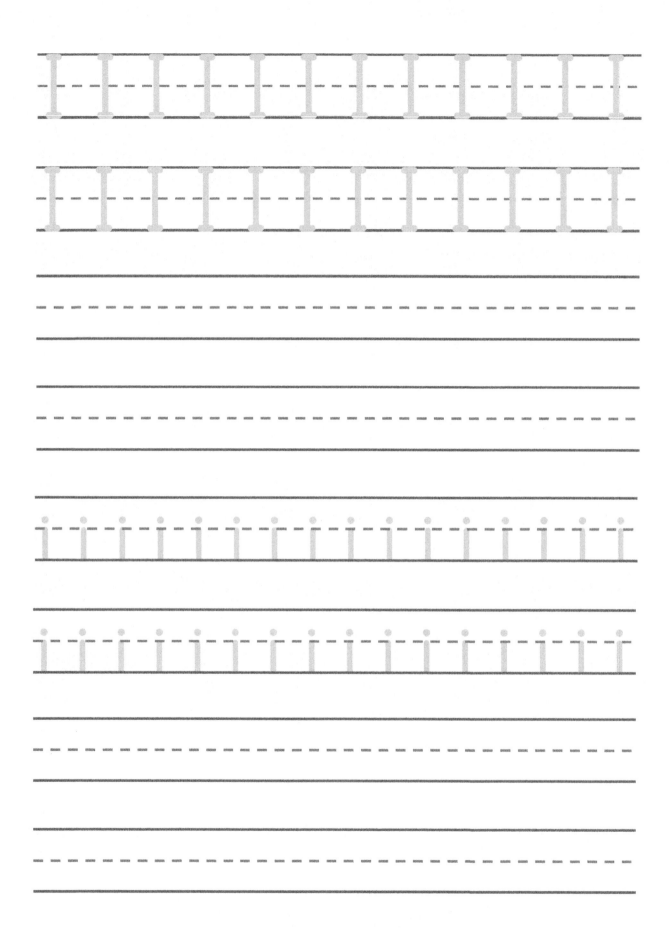

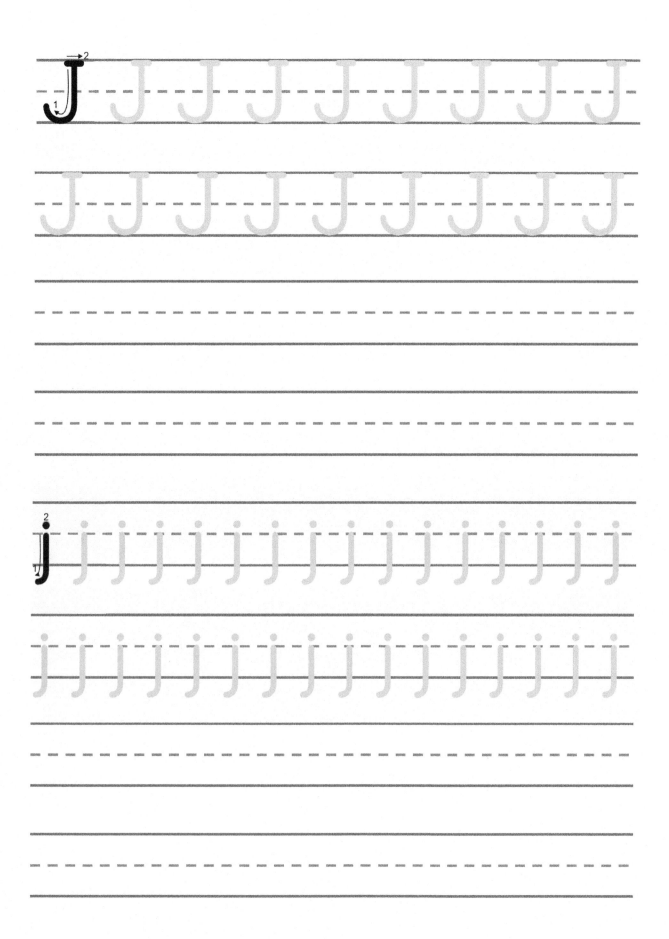

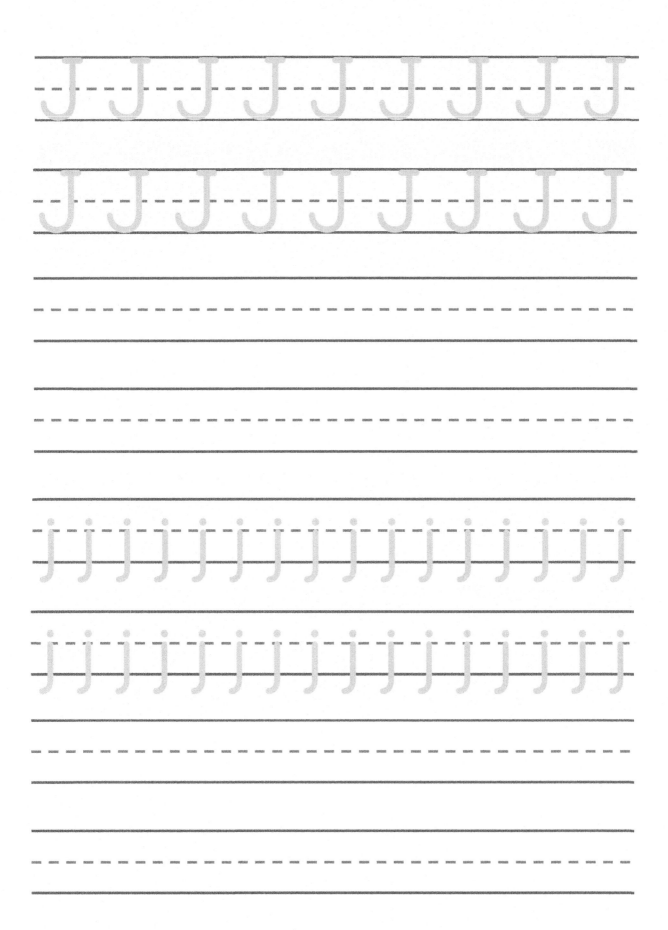

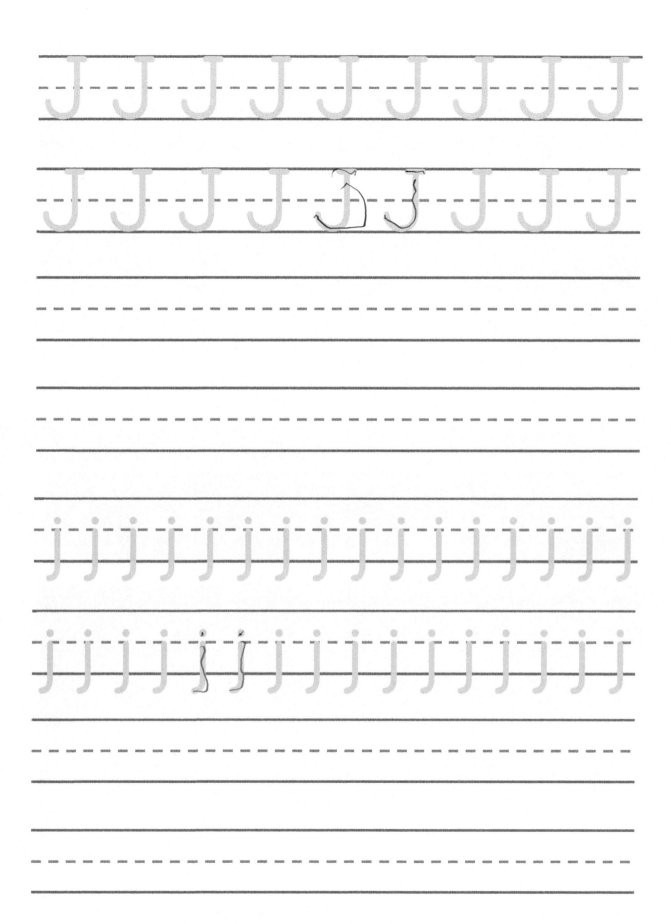

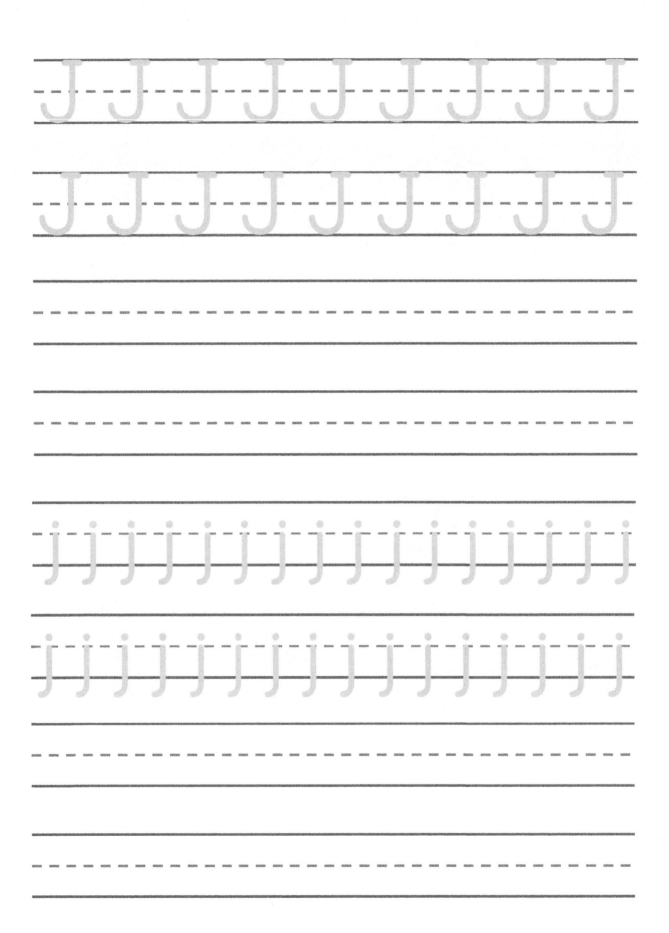

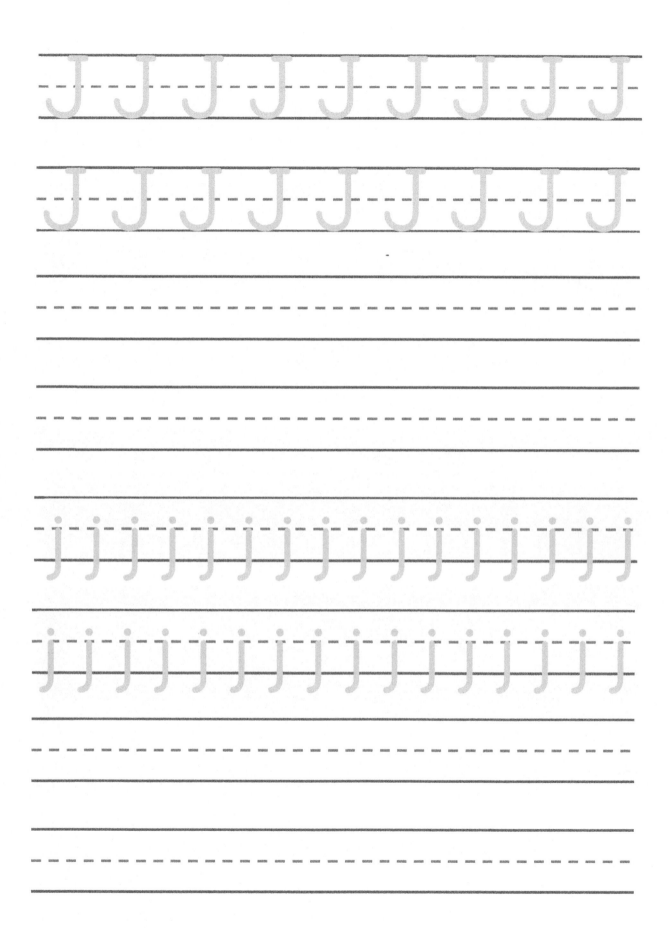

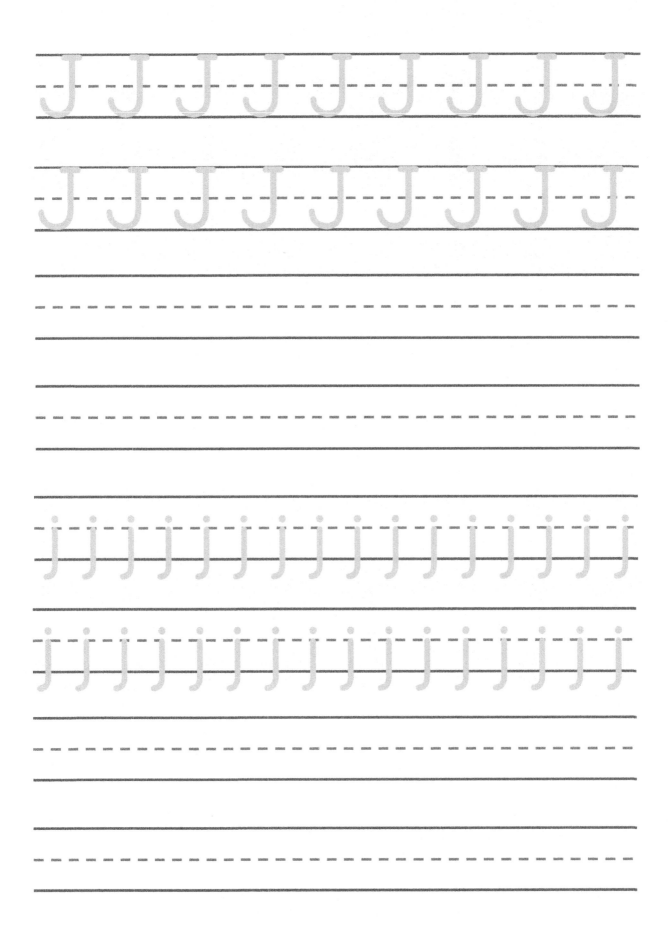

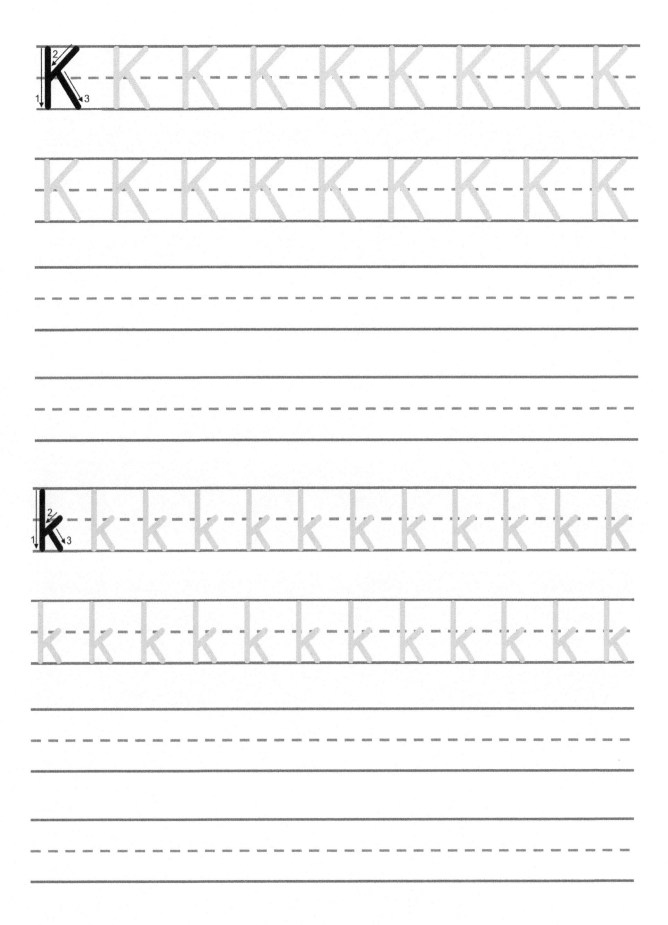

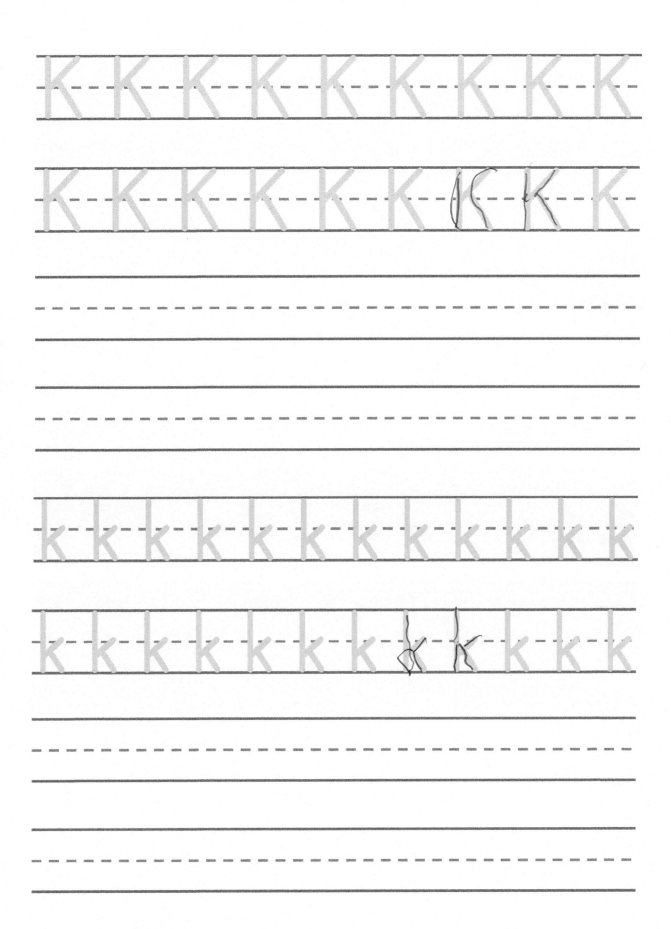

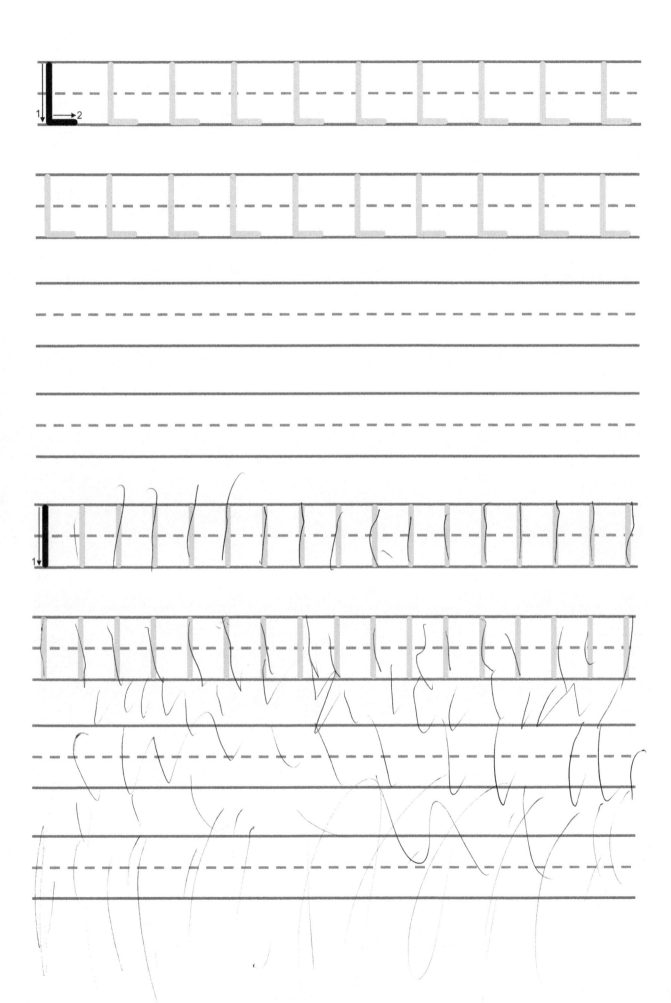

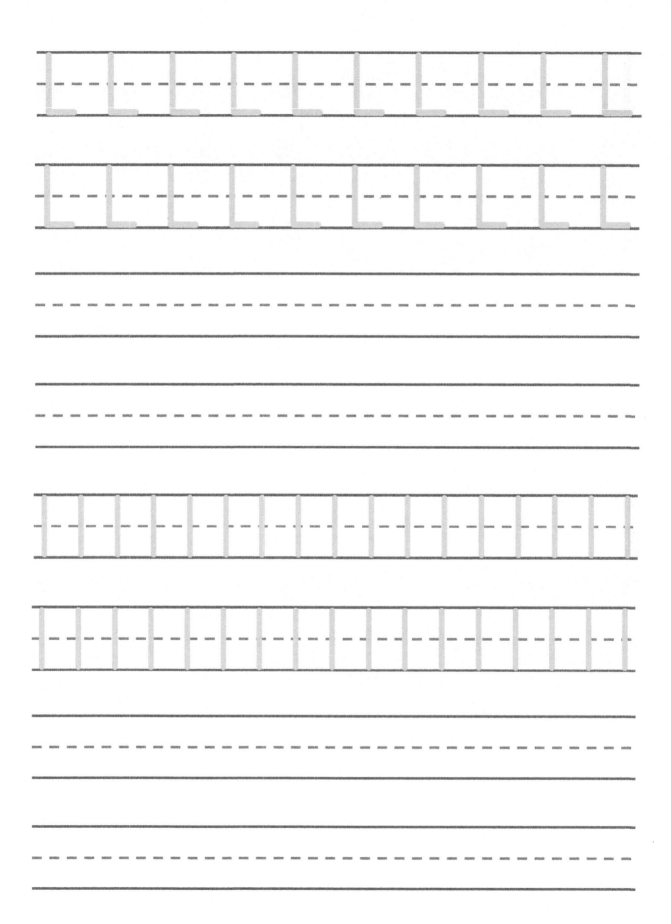

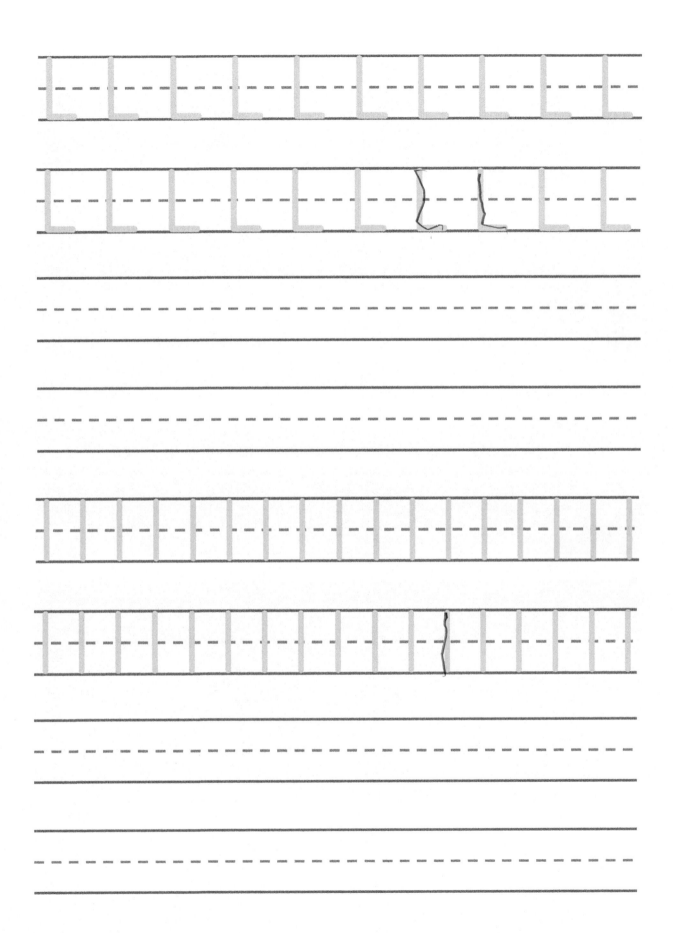

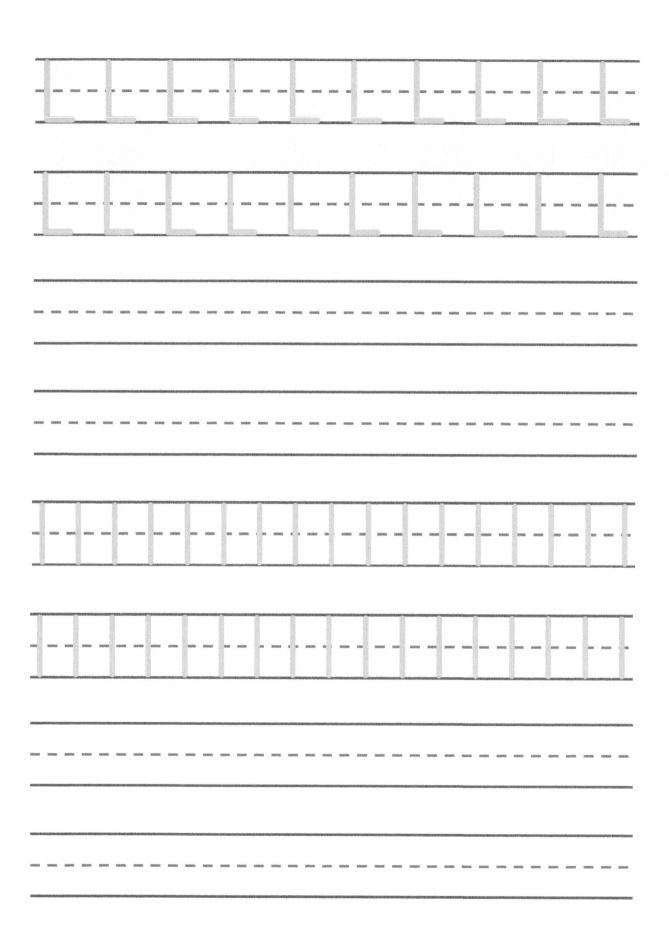

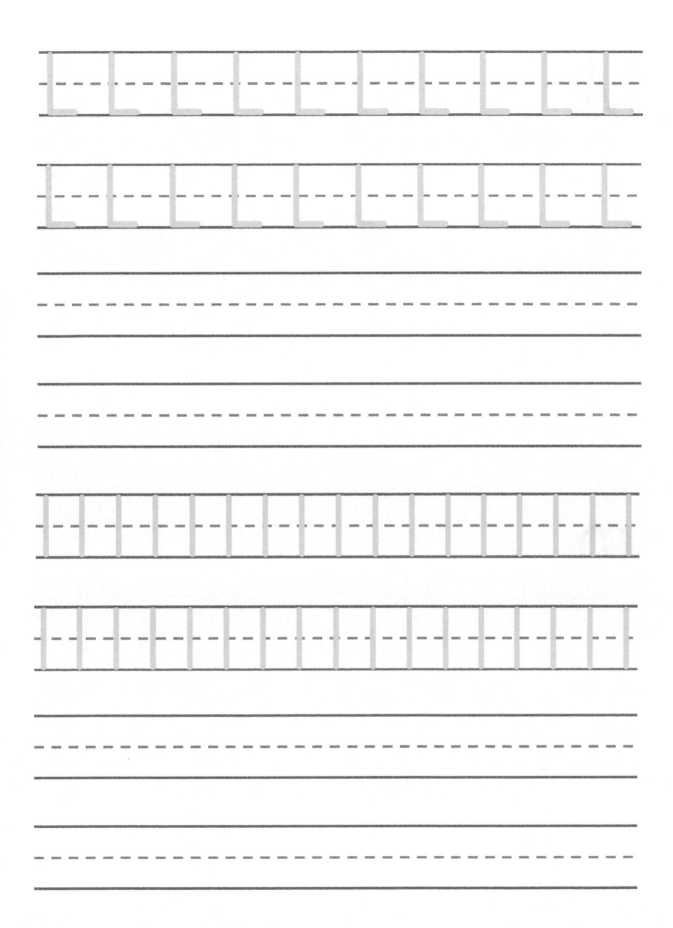

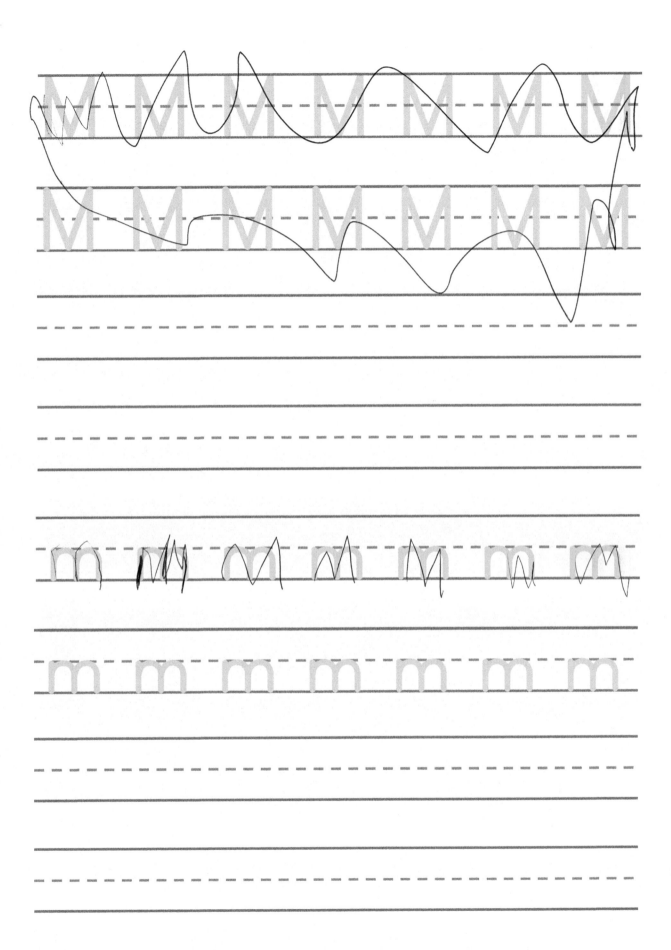

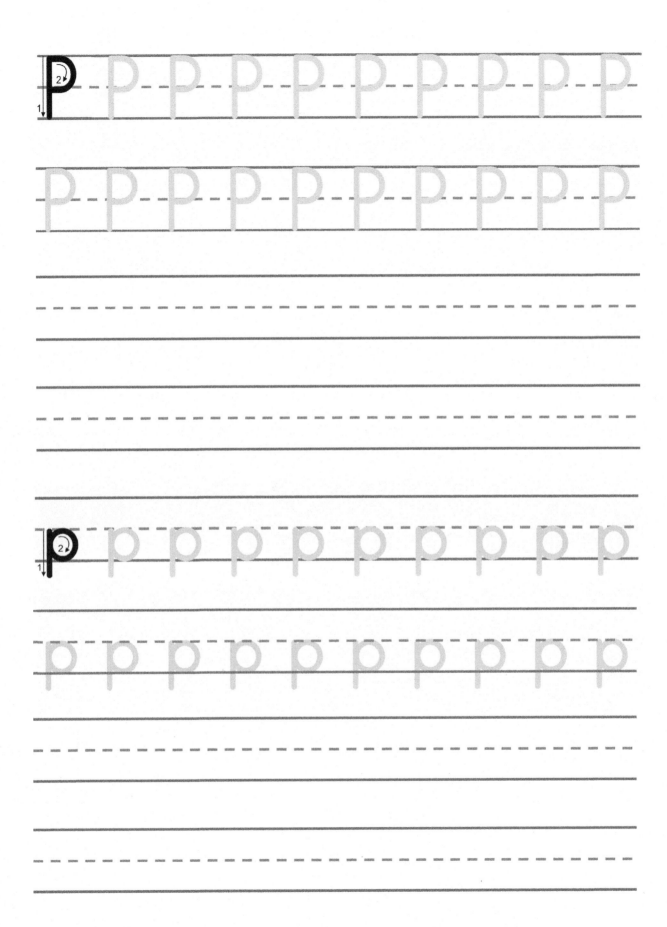

P P P P P P P P P P

P P P P P P P P P P

p p p p p p p p p p

p p p p p p p p p p

P P P P P P P P P

P P P P P P P P P

p p p p p p p p p

p p p p p p p p p

P P P P P P P P P P

P P P P P P P P P P

p p p p p p p p p p

p p p p p p p p p p

P P P P P P P P P

P P P P P P P P P

p p p p p p p p p

p p p p p p p p p

R R R R R R R R R R R

R R R R R R R R R R R

r r r r r r r r r r r r r r

r r r r r r r r r r r r r r

R-R-R-R-R-R-R-R-R

R-R-R-R-R-R-R-R-R

r r r r r r r r r r r r r

r r r r r r r r r r r r r

R R R R R R R R R R

R R R R R R R R R R

r r r r r r r r r r r r r r

r r r r r r r r r r r r r r

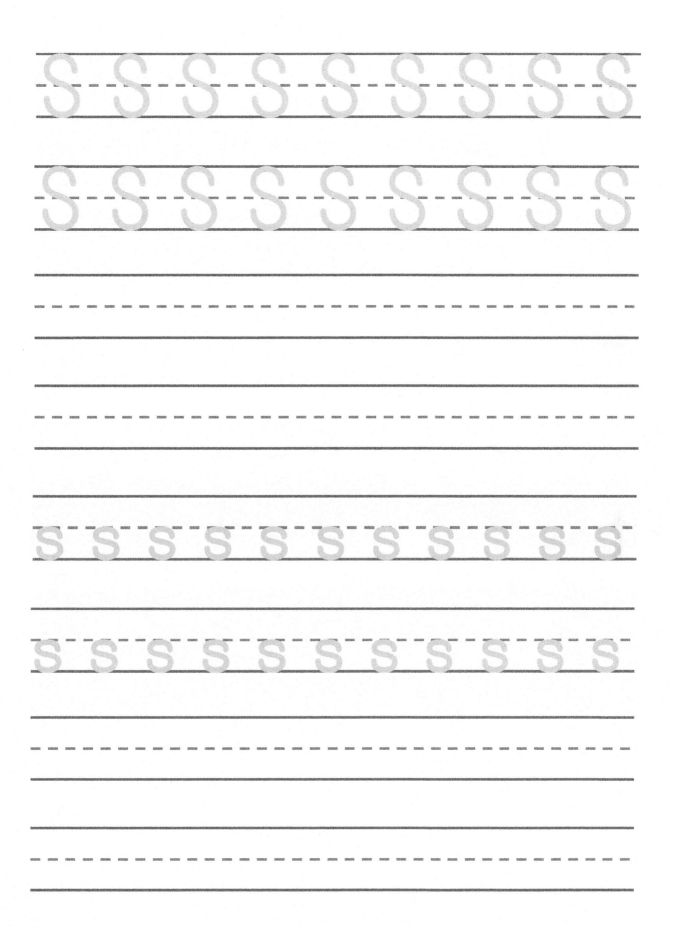

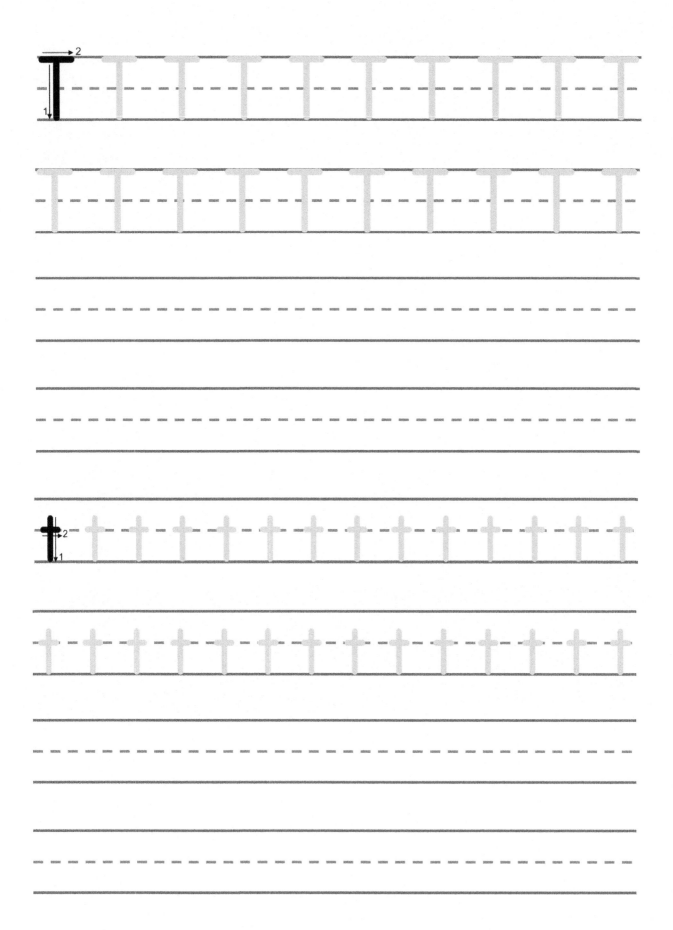

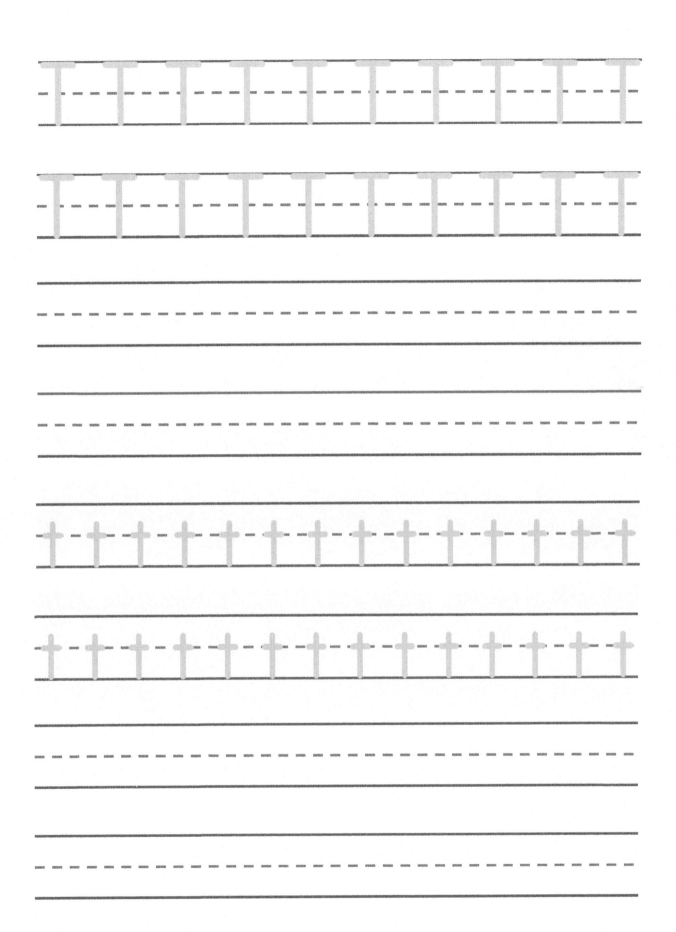

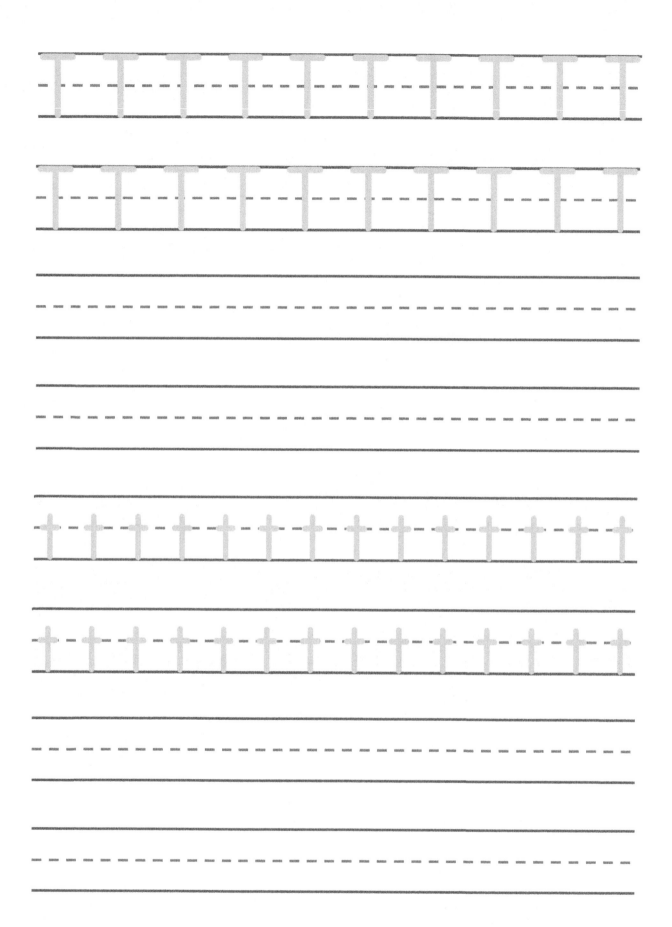

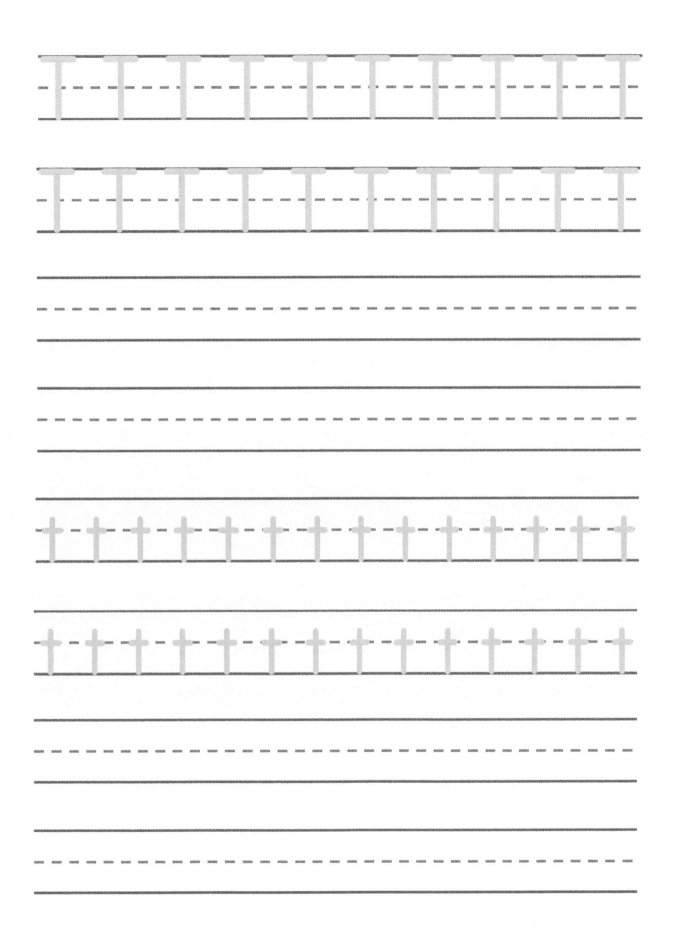

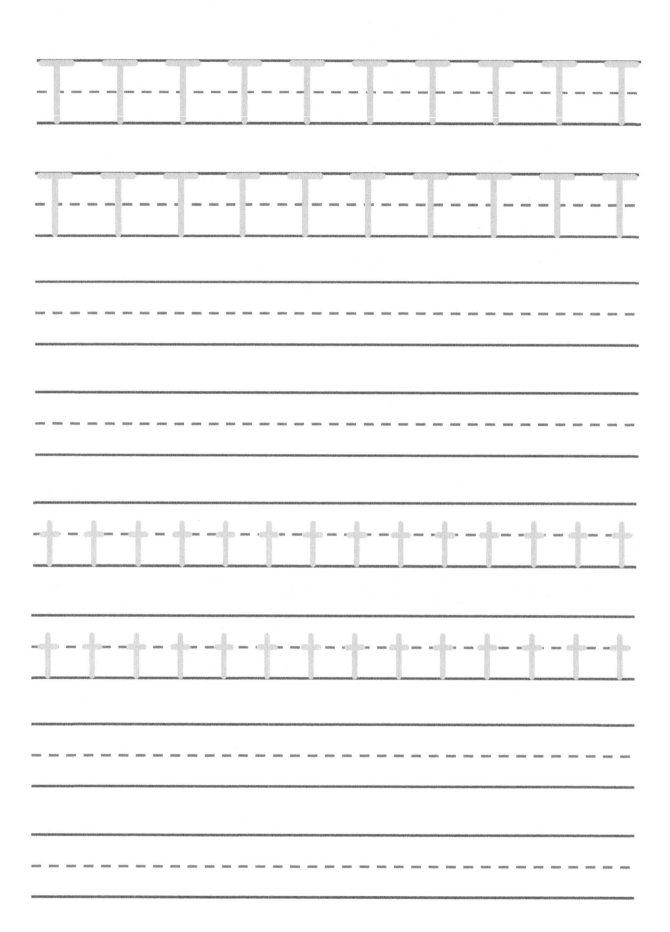

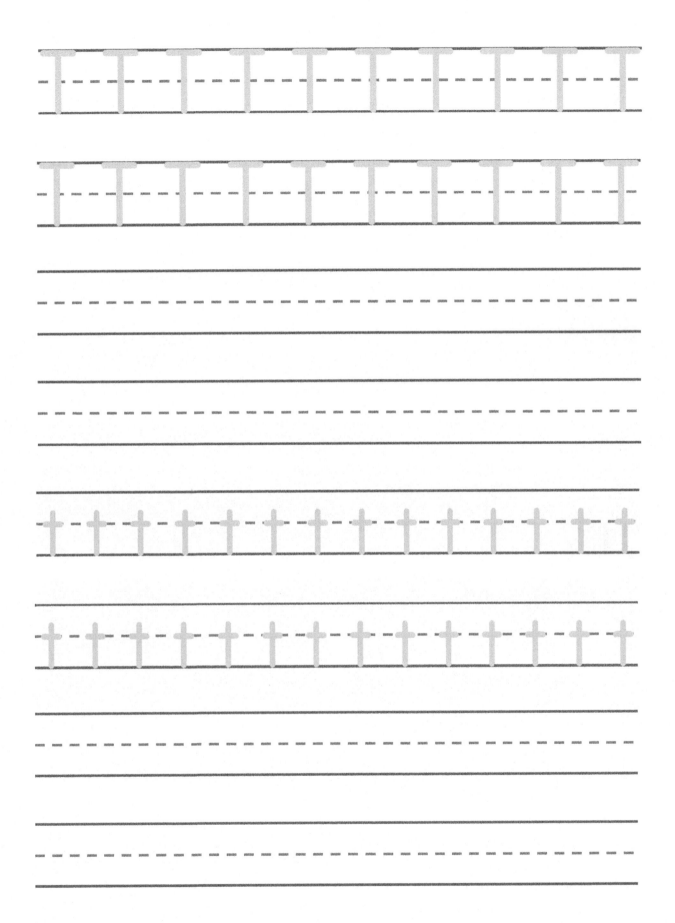

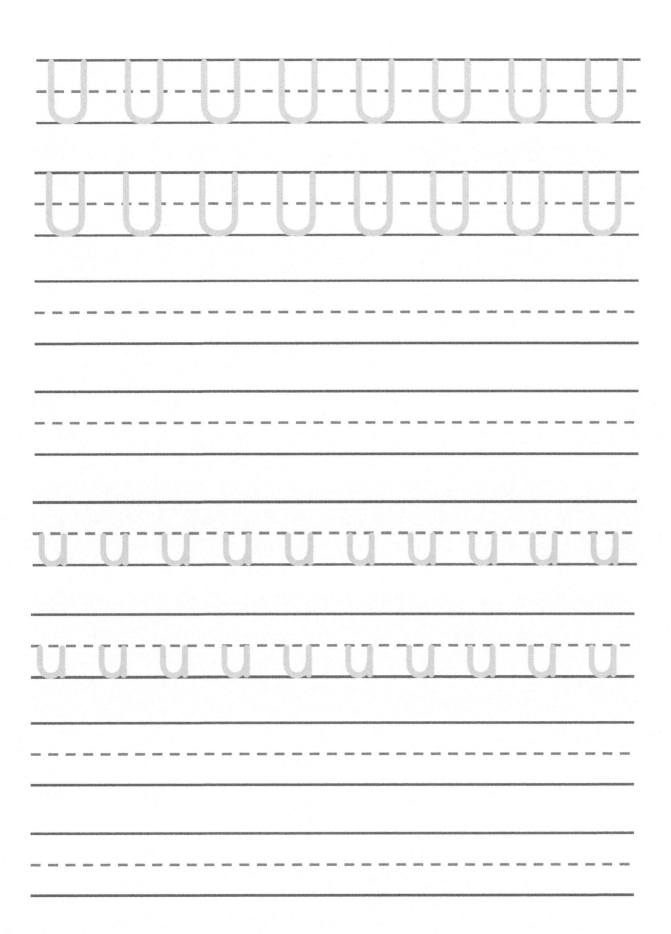

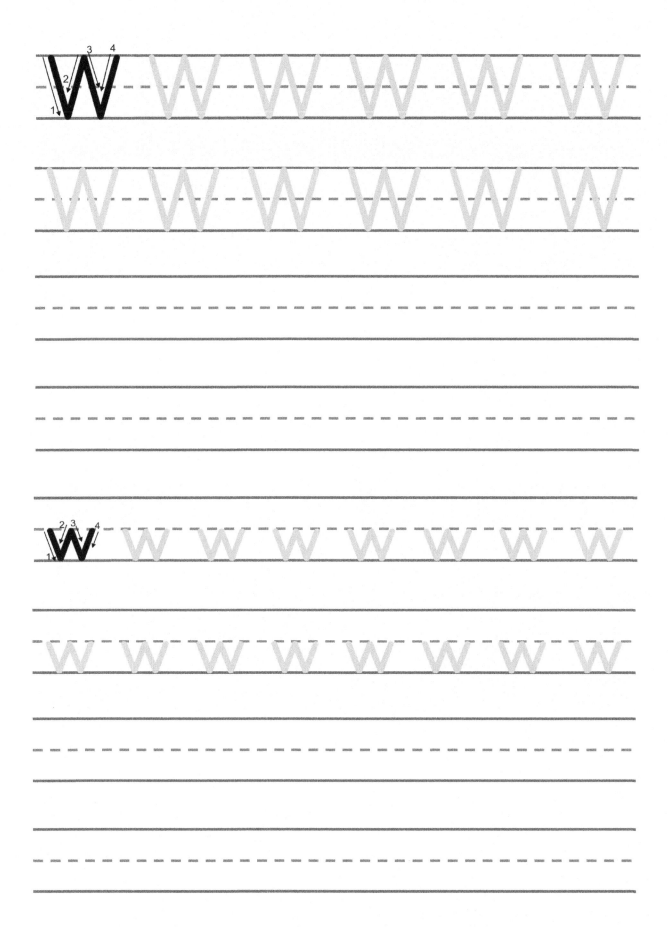

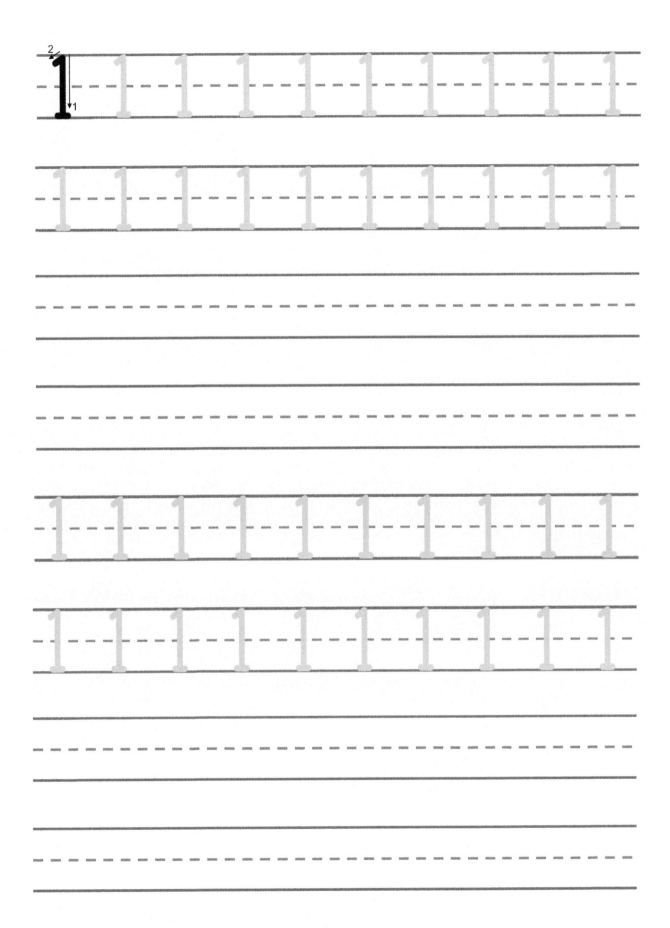

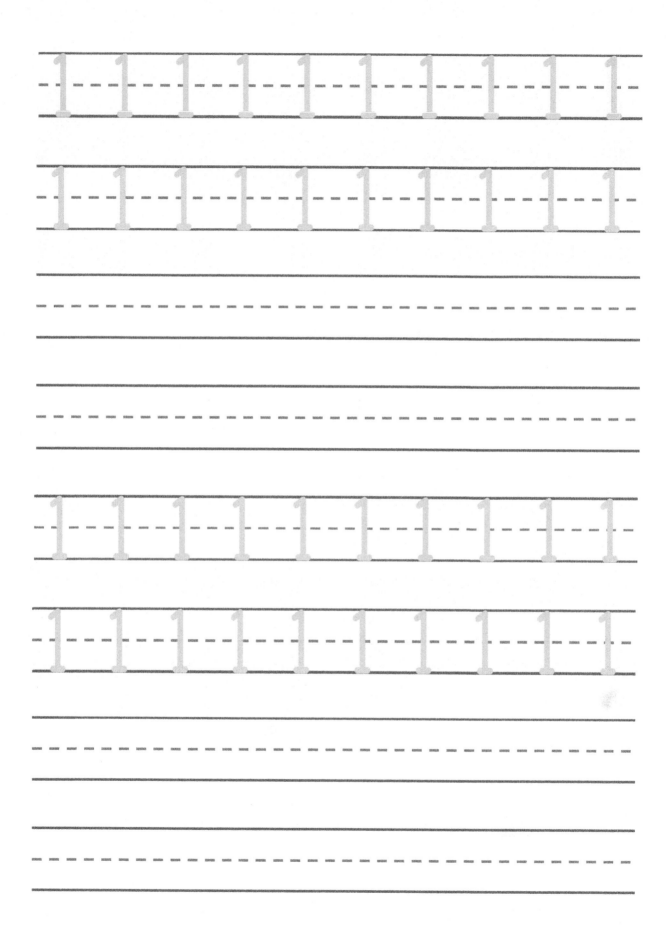

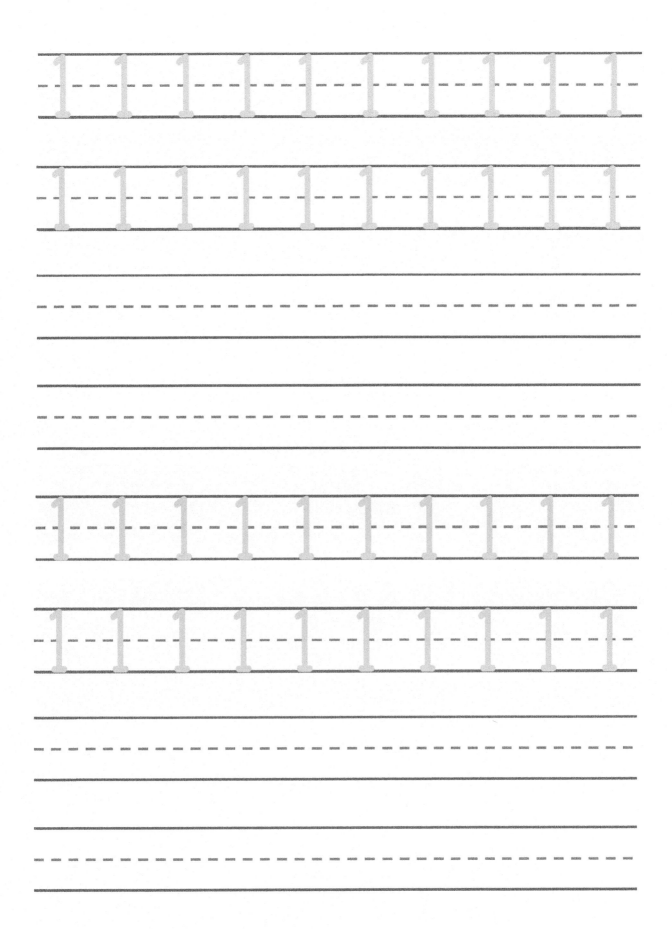

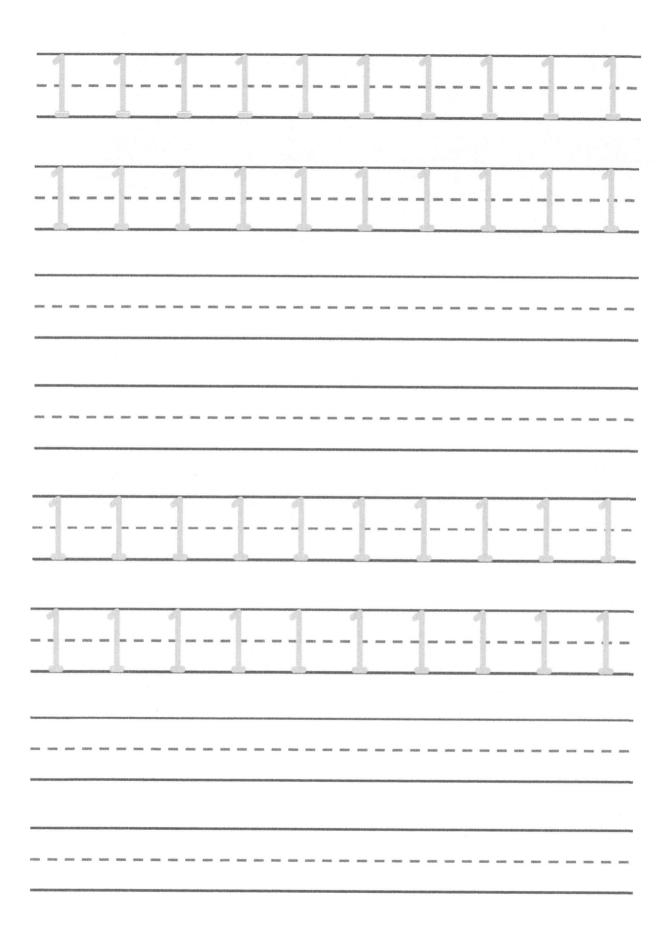

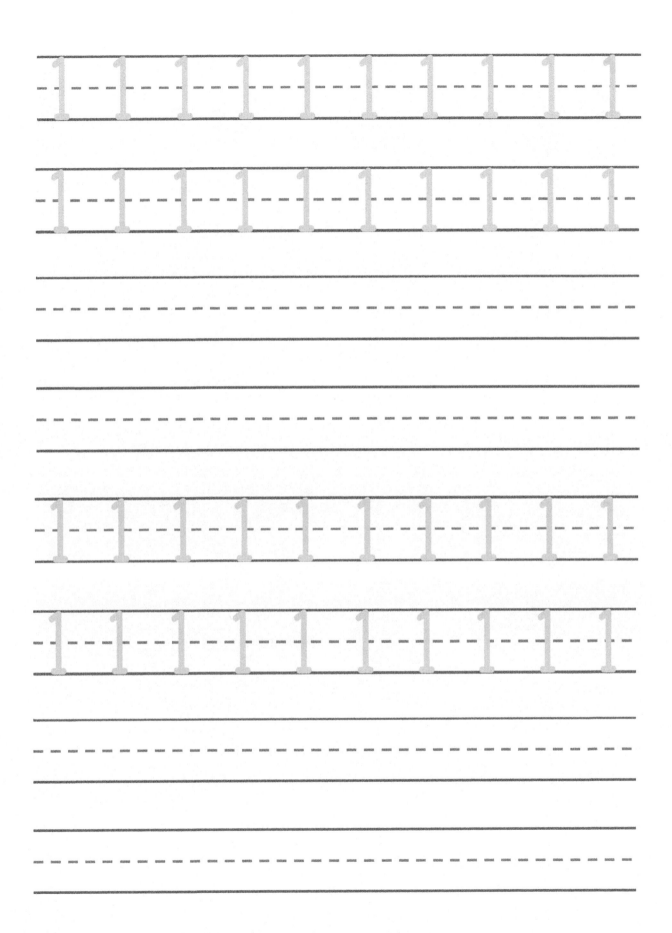

2 2 2 2 2 2 2 2 2

2 2 2 2 2 2 2 2 2

2 2 2 2 2 2 2 2 2

2 2 2 2 2 2 2 2 2

2 2 2 2 2 2 2 2 2

2 2 2 2 2 2 2 2 2

2 2 2 2 2 2 2 2 2

2 2 2 2 2 2 2 2 2

2 2 2 2 2 2 2 2 2

2 2 2 2 2 2 2 2 2

2 2 2 2 2 2 2 2 2

2 2 2 2 2 2 2 2 2

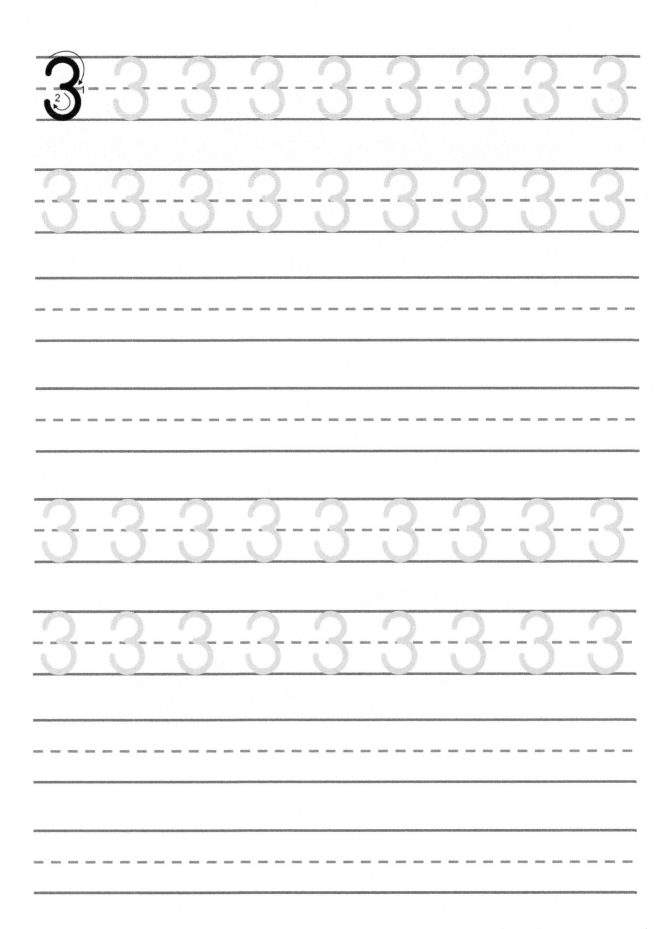

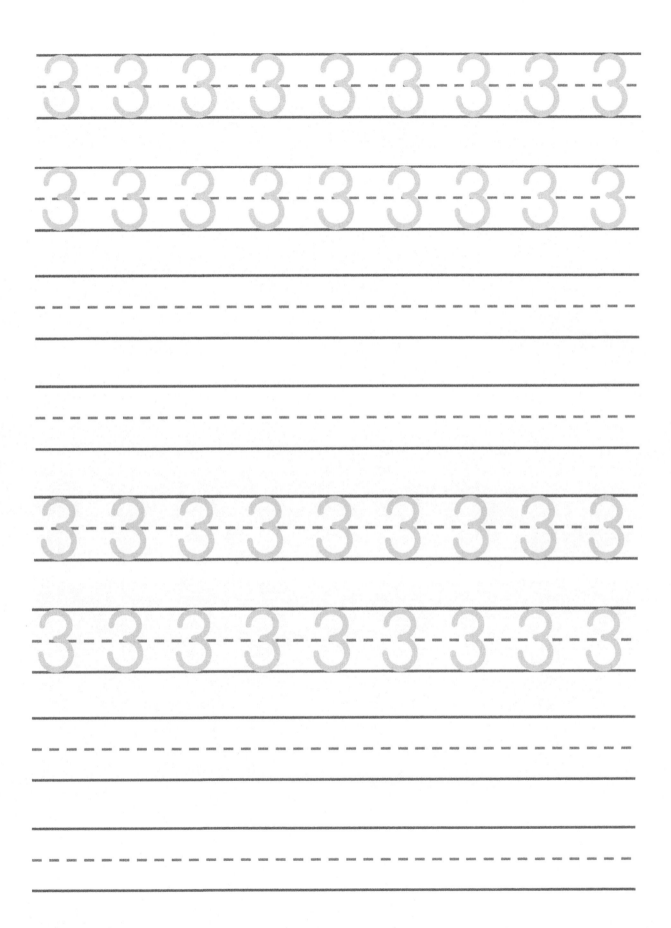

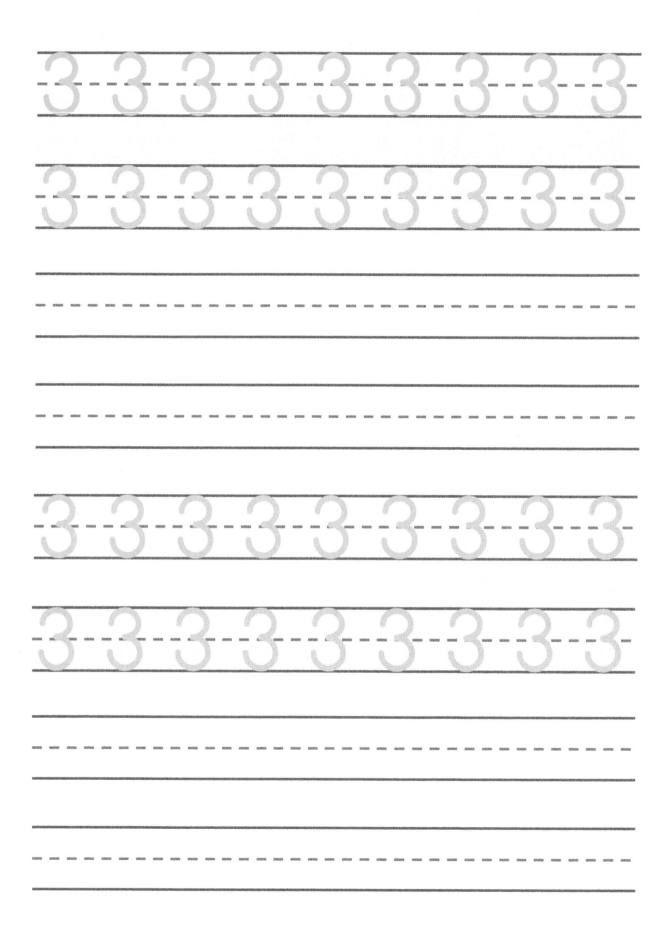

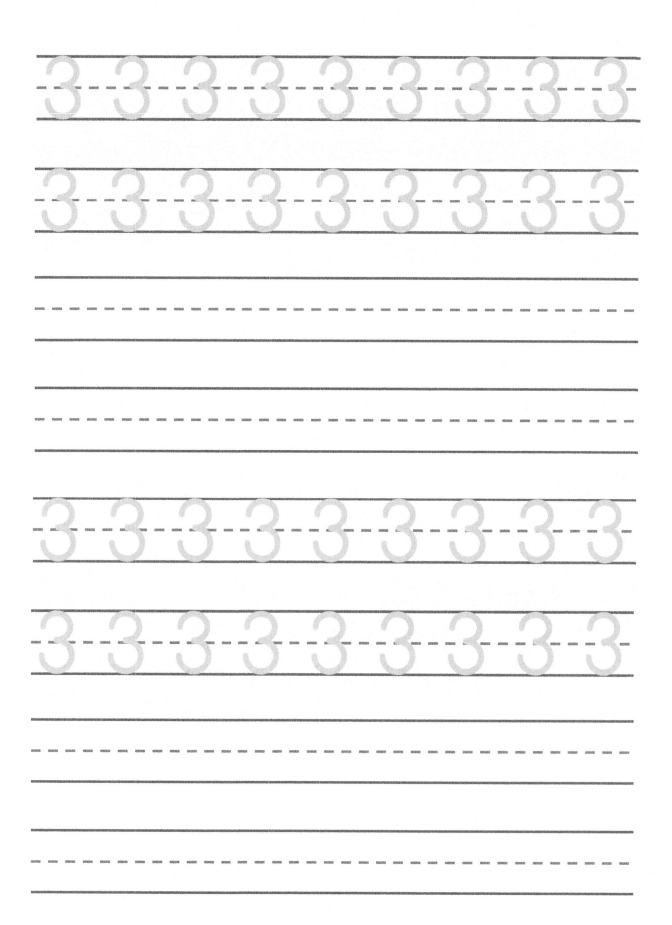

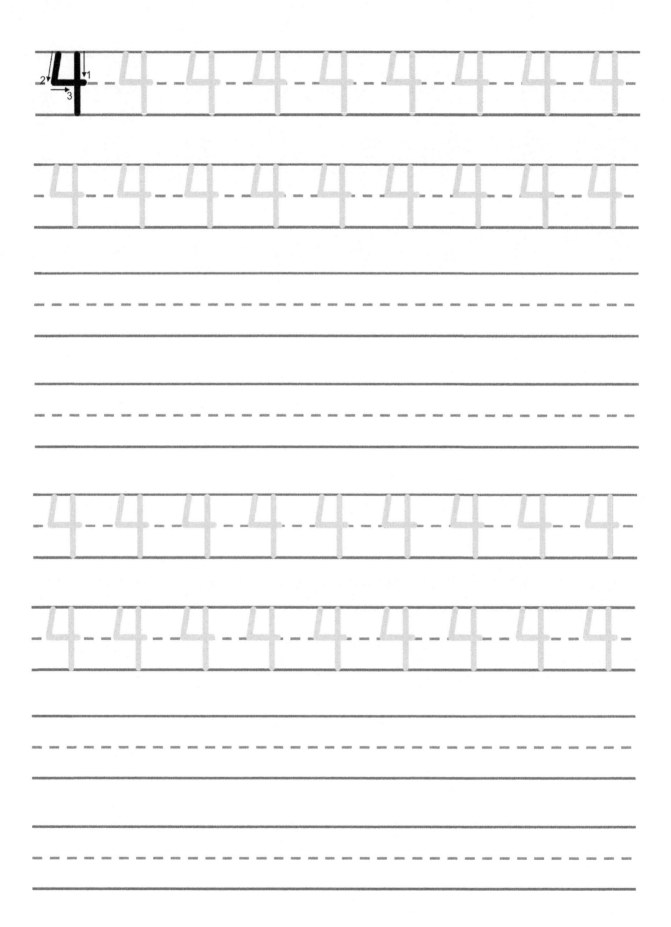

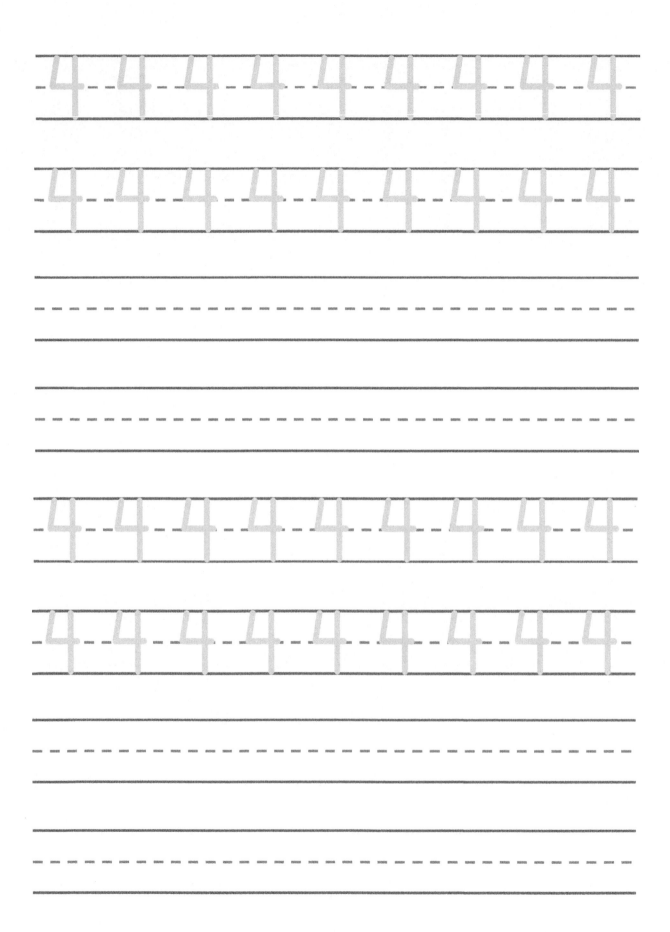

7 7 7 7 7 7 7 7 7 7

7 7 7 7 7 7 7 7 7 7

7 7 7 7 7 7 7 7 7 7

7 7 7 7 7 7 7 7 7 7

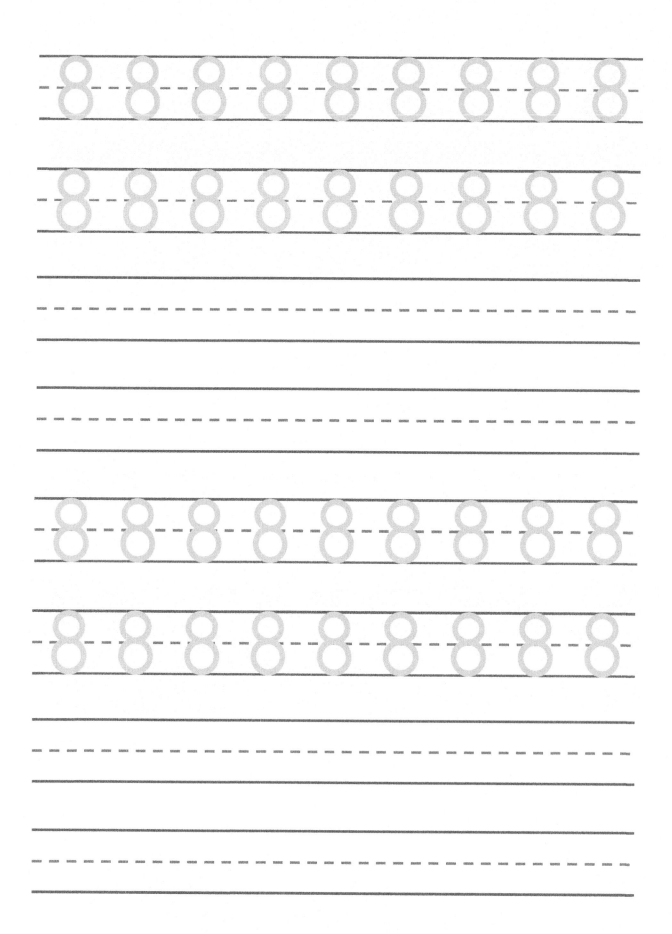

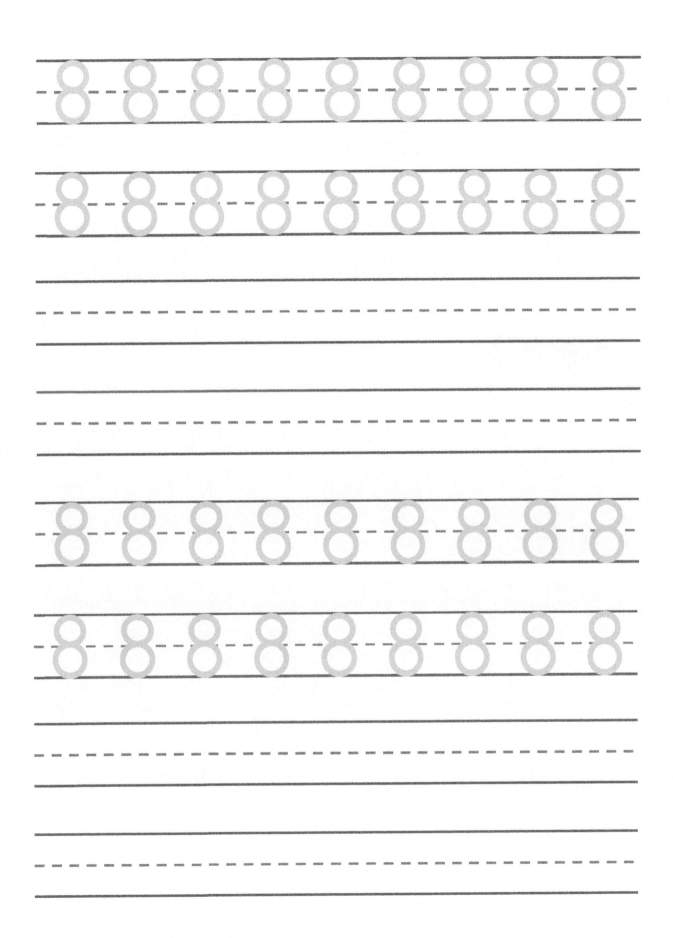

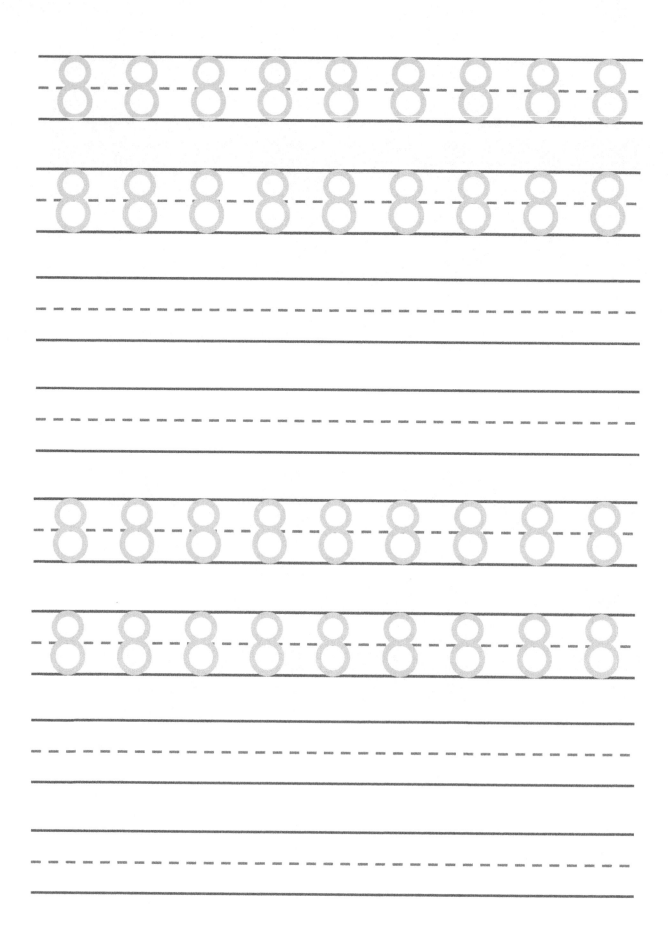

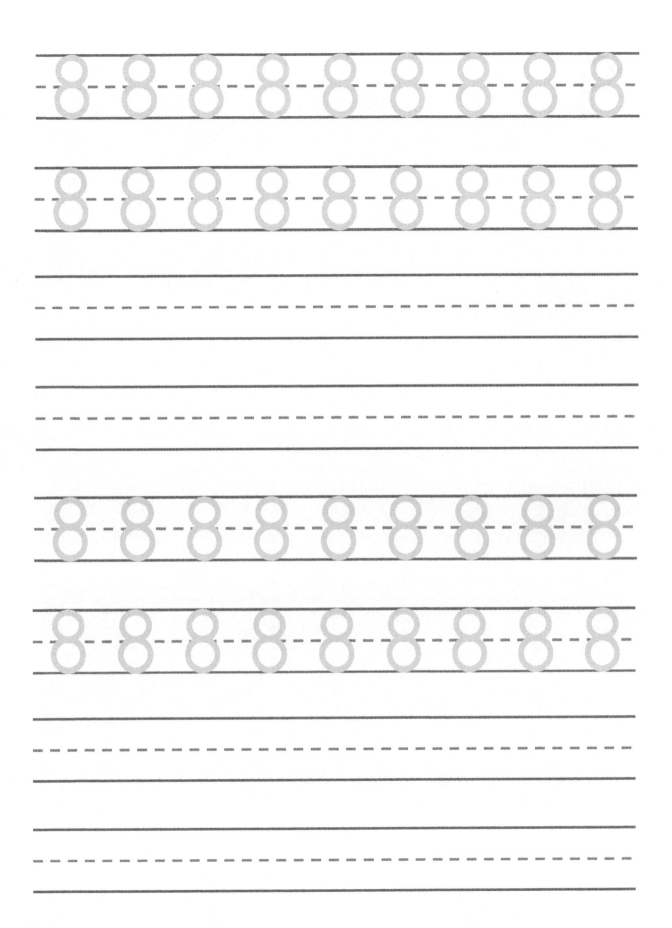

q

Made in the USA
Monee, IL
11 September 2020